De nalatenschap

Voor opa

Dit boek kan gekozen worden door de Jonge Jury 2009.
Stemmen? Kijk op www.jongejury.nl

voor meer informatie:
www.uitgeverijholland.nl

Theo-Henk Streng

De nalatenschap

Uitgeverij Holland - Haarlem

Elke gelijkenis van figuren in dit verhaal met werkelijke personen berust op toeval.

Ook minister Kuip voor legalisatie softdrugs

Van onze verslaggever

DEN HAAG – Geheel tegen het zere been van minister Zwartewijn was de uitspraak die minister Kuip gisteren deed in de Tweede Kamer.

Het gaat er steeds meer naar uitzien dat minister Zwartewijn alleen komt te staan in zijn standpunt tegen de legalisatie van softdrugs.

De afgelopen maanden zijn meerdere partijen overstag gegaan. De legalisatie van softdrugs heeft nog nooit zoveel voordelen gekend als de afgelopen tijd, zeker nu softdrugs – na recent onderzoek – de grootste inkomstenbron blijkt te zijn van Nederlandse criminelen.

'We kunnen niet alleen de onderwereld een halt toeroepen door softdrugs legaal te maken,' aldus minister Kuip, 'we kunnen ook de wetgeving rond de gezondheidszorg (waar onder andere marihuana als medicijn wordt gebruikt, red.) vereenvoudigen.'

Minister Zwartewijn had niet de behoefte te reageren.

De Latijnse naam van de plant *Cannabis sativa* (kortweg 'cannabis') heeft dezelfde betekenis als het Nederlandse 'hennep'. Uit deze plant worden 'hasj' en 'wiet' (marihuana) gewonnen.

Hasj is het hars van deze plant, meestal tot blokken of plakjes geperst. Als de vrouwelijke bloemtoppen van de plant worden gedroogd en verkruimeld, ontstaat 'wiet', ook wel 'marihuana' genoemd.

1

'Kijk eens aan!' Remon Veermans kwam met grote passen op hem aflopen. Dieter en Nils liepen achter hem aan. 'Daar hebben we Tim Verdonkert!'

Tim sloeg zijn kluisje dicht en draaide het slot om. Ongemerkt zette hij een stap in de richting van Sam, die hem een veelbetekenende blik toewierp.

Remon was bijna een kop groter dan zij, om over zijn twee vrienden maar te zwijgen. Hij keek Tim vals aan en aaide hem ruw over zijn hoofd. 'Hoe is het ermee, gabber?' grijnsde hij zijn scheve tanden bloot.

Remon Veermans betekende vrijwel altijd ellende.

'Prima,' antwoordde Tim kalm. Hij wilde geen problemen, maar Remon had helaas de aandacht al opgeëist. Alle ogen in de gang waren op hen gericht en Remon genoot intens van de belangstelling.

'Kom, we gaan,' zei Sam. Hij slingerde zijn rugtas om zijn schouder en wilde Remon passeren.

'Niet zo snel,' hield die hem tegen. 'Ik was nog niet uitgepraat met Tim.' Remon boog zich over Tim heen. 'Vertel eens, vriendje. Als ik een pakje goede snuif wil, kan ik dan ook bij jou terecht?'

Tim keek hem kil aan.

'Hij bedoelt een pakje coke,' verklaarde Dieter vanachter Remons brede rug.

'Co-ca-ïne,' spelde Nils.

'Ik weet wat hij bedoelt, Dieter,' antwoordde Sam. 'Laat ons er even langs.'

'Heeft iemand jou iets gevraagd, opsodemieter?' Remon snoof zijn neus en keek minachtend naar Sam. 'Nou dan?'

De reus richtte zich weer tot Tim. Een brede grijns kroop over zijn gezicht. 'Heb je nog een pakje coke voor me, of moet ik je vader bellen?' Remon grinnikte gemeen. 'Voor al uw kopzorgen, sms 0900-Verdonkert.'

Twee gedempte kuchjes maakten een eind aan het gesprek.

'Veermans, maak je dat je naar je les komt.' Jansen, de leraar Nederlands, kwam de gang uit. Hij keek strak naar Remon en leek Tim en Sam niet te zien. 'Wegwezen, en snel een beetje.'

Remon wierp Tim en Sam een laatste lepe blik toe, pakte zijn tas en verdween met de andere twee.

Jansen lachte flauwtjes naar Tim en beende de gang uit.

Onderweg naar Sams huis spraken ze er niet over. Aan Remon waren ze inmiddels wel gewend. Ook de flauwe geintjes over Tims vader beschouwden ze inmiddels als normaal, hoewel ze flink aan Tim bleven knagen. Hij wist dat hij niet verantwoordelijk was voor zijn vaders praktijken, maar dat was moeilijk uit te leggen aan mensen die hun mening al hebben gevormd.

Sam had het al vanaf de brugklas geweten. Hij was toen één keer met Tim mee naar huis geweest en had genoeg gezien. Sam was de enige die het luchtig opvatte en Tim als een individu zag. Als iemand die niets met de zaken van zijn vader te maken had, maar er wel de pineut door was.

Pas in de brugklas had Tim ontdekt hoe uitzonderlijk zijn familie was. Op de basisschool had niemand er zo bij stilgestaan, tenminste… de kinderen niet. Wel was hij altijd een beetje een eenling geweest, een buitenstaander. Achteraf besefte Tim dat de ouders van zijn klasgenoten wel in de gaten hadden gehad wie zijn vader was. Tim was nergens welkom. Sam was zijn eerste echte vriend.

'Breuken en kommagetallen,' zei Sam, die met zijn gedachten nog steeds bij de wiskundeles was. 'Ik dacht dat we die na de basisschool wel gehad hadden.'

Tim schudde zijn hoofd. 'Volgens mij denkt Haverman daar anders over.'

'Ik werd bijna gek toen ik al die rijtjes zag. Wat een ellende…'

'Voor jou is het toch niet zo moeilijk?' Wat zat Sam nou te zeuren? Hij was een kei in wiskunde.

Sam trok zijn schouders op. 'Nee, dat niet,' grijnsde hij. 'Ik heb er gewoon geen zin in.'

Vijf minuten later zaten ze bij Sam aan de keukentafel. Hun jassen over de stoel en hun tassen op de grond. Een berg schoolwerk voor hun neus.

'Hallo jongens,' kwam Sams moeder de keuken binnen, 'Sam, schenk jullie eens wat te drinken in. Ik ga je vader halen. Zijn auto heeft het weer eens begeven.' Ze glimlachte verontschuldigend naar Tim. 'Sorry dat ik jullie in de steek laat. Oh ja, er ligt nog een zak chips op het aanrecht.' Ze keek even zoekend om zich heen. 'Waar heb ik die sleutels nu weer gelaten?'

Sam wees naar de vensterbank. Ze haalde opgelucht adem en verliet het huis. Sam schonk twee cola in. Het volgende half uur waren ze druk met de breuken en kommagetallen. Sam had het zo onder de knie, maar slaagde er niet in het Tim uit te leggen. Voor hem bleven het rijtjes dansende cijfers.

Tim kwam al drie jaar bij Sam over de vloer. Sams ouders hadden nooit een woord over zijn vaders werk gesproken. Ze accepteerden hem zoals hij was en daar was Tim blij om. Sam werd best wel vrij opgevoed. Zijn ouders bemoeiden zich alleen met het hoognodige. Verder was hij prima in staat zijn eigen weg te vinden, vonden ze.

'We moeten trouwens nog dat werkstuk over Napoleon maken,' hielp Tim Sam herinneren, toen die voor de tweede keer cola inschonk. 'Weet jij wanneer dat af moet zijn?'

'Volgende week. Geen nood. Kijk eens op de vensterbank.'

Tim draaide zich om. 'Je bent fantastisch,' zei hij.

Er lag een stapeltje bibliotheekboeken.

'Dat werkstuk wordt een eitje,' zei Sam. Hij pakte de stapel boeken en legde ze voor hen op tafel. 'Wacht even, ik heb er nog één boven liggen. De dunste. Ik ben zo terug.'

Sam rende de trap op. Tim staarde even naar de boeken. Al snel drong het beeld van Remon weer in zijn hoofd. Tim baalde er behoorlijk van dat hij iedere keer het pispaaltje was, ook al had hij het idee dat Remon dat alleen maar deed om zijn reputatie hoog te houden. Hij was de populairste jongen van school en wie was nu een beter slachtoffer dan hij? Door hem te pesten liet hij anderen in de waan dat hij nergens bang voor was, ook niet voor Tims criminele vader. Voor zover hij zich kon herinneren had niemand anders ooit een flauwe opmerking over zijn vader gemaakt. Klasgenoten en andere scholieren meden het onderwerp liever.

Tim wist zelf als geen ander hoe het in elkaar stak. Wat zijn klasgenoten vermoedden was waar. Anthonie Verdonkert, zijn vader, was een crimineel. En eentje met een behoorlijke reputatie. Hij was regelmatig in het nieuws of stond in sensatiebladen, zonder dat hij daar zelf trouwens om vroeg. In die verhalen werd van alles maar een romantisch beeld geschapen. Alsof de georganiseerde misdaad een groot spel was. Tim wist dondersgoed dat het heel anders zat. Er was niets leuks aan. Op het moment dat hij en Sam hier huiswerk zaten te maken, bereidde zijn vader van alles voor om drugs te importeren. Hoewel zijn vader zijn uiterste best deed hem uit de buurt van zijn zaken te houden, ving Tim zo nu en dan wel eens wat op.

De laatste tijd waren er vrijwel altijd ruzies in huis. Ruzie tussen zijn moeder en zijn vader. Ruzie tussen zijn vader en Rony, Anthonies compagnon. Ruzie tussen Rony en zijn moeder. Continu ruzie. Tim trok zich dan altijd maar terug. Hij wist wel dat de ruzies negen van de tien keer met drugs te maken hadden. En hij wilde daar helemaal buiten staan.

Hoe vaak had hij er niet over gefantaseerd dat zijn ouders net zo waren als al die andere ouders? Dat ze 's ochtends naar kantoor gingen en om half zes thuiskwamen, een fles wijn opentrokken en naar het nieuws keken of de krant lazen. Dat ze naar ouderavonden gingen, op zaterdag langs de lijn stonden bij hockey en leuke uitjes met hem maakten. Maar het zat er niet in.

'Waar zit jij met je gedachten? Toch niet bij de Franse Revolutie?'

Tim schrok op. 'De Franse Revolutie? Die was toch al veel eerder dan Napoleon?'

Sam schudde zijn hoofd. 'Je hebt je duidelijk nog niet ingelezen, sukkel. In 1799 kwam een eind aan die revolutie, toen Napoleon de macht greep.'

'Nou, weet jij ook eens wat,' gromde Tim. 'Schrijf het maar gelijk op, voor je het weer vergeten bent.'

De rest van de middag werkten ze aan het opzetje voor hun werkstuk. De eisen lagen vrij hoog, moest zelfs Sam vaststellen – voor wie normaal gesproken niets te veel was. Vandaar dat ze het echte werk nog even lieten wachten.

Tegen etenstijd kwamen Sams ouders terug. 'Hard aan de studie?' informeerde Sams vader. Hij trok de deur achter zich dicht en knoopte zijn stropdas los. 'Napoleon. Kijk eens aan. Volgens mij ligt er nog een compleet werkstuk over hem op zolder.'

'Tim, eet je ook mee?' wilde Sams moeder weten. Ze stak de gaspit aan en rommelde in het aanrechtkastje tot ze een paar pannen vond.

Tim schudde zijn hoofd. 'Nee, dank u. Mijn moeder rekent op me met eten. Ik denk dat ik maar eens naar huis ga.'

Het was tegen zessen toen hij de straat uitreed. Hij vond het heerlijk om een stukje in zijn eentje te fietsen. Sam kletste hem altijd de oren van zijn kop. Niet dat hij dat erg vond, maar soms was het wel eens lekker om op te gaan in je eigen gedachten.

Hij had geen zin meer om vanavond nog die toets voor Nederlands te leren. Gelukkig snapte hij het meeste al wel. Hij stond goed voor Nederlands dus maakte het niet eens zoveel uit of hij de toets wel of niet goed maakte. Al zou zijn moeder niet blij zijn als ze hoorde dat hij niet had geleerd.

Normaal was hij altijd wat vroeger thuis dan vanavond. Hij hoopte niet dat zijn moeder op hem zat te wachten met het eten. Als ze zelf kookte, had ze graag dat hij op tijd was. Ze stond zich niet voor niets uit te sloven, piepte ze dan. Gelukkig kwam het ook vaak voor dat er voor hen gekookt werd en dan kon het haar minder schelen.

Tim glimlachte. Zijn moeder was, hoewel ze zich met dezelfde zaken als zijn vader bezighield, toch zijn moeder. Daarvan was er maar één. Datzelfde gold ook voor zijn vader.

In de verte doemde de villa op waarin hij woonde. In het schijnsel van de ondergaande zon wierpen de grote naaldbomen langwerpige schaduwen over de straat en het huis.

Toen hij het erf op reed, kreeg hij de schrik van zijn leven. Hij kwam abrupt tot stilstand. Een steek van paniek ging door zijn lijf.

Voor het huis stonden twee politieauto's.

2

Vier dagen later werd zijn vader begraven.

Afgelopen maandag was de politie er niet geweest om Anthonie Verdonkert op te pakken, maar om Tim en zijn moeder mee te delen dat hij dood was.

Tim kon het nog steeds niet bevatten. 's Ochtends was zijn vader nog druk in de weer geweest. Ze hadden nog samen zo gelachen toen Gilles – zijn vaders chauffeur – de auto niet gestart kon krijgen. Zeker toen hij grommend vanonder zijn malle petje de keuken was binnengekomen en chagrijnig koffie in had staan schenken. Hij maakte een verkeerde beweging, wilde net een opmerking maken over hun lachbui, toen het kopje uit zijn handen viel. Daardoor hadden ze het helemaal niet meer in de hand. 'En dan te bedenken dat het niet eens de dertiende is,' had zijn vader lachend gezegd. 'Ben benieuwd welk ongeluk je vandaag nog meer te wachten staat.'

Macaber, dacht Tim. Want nog geen twaalf uur later was hij dood. Voorgoed uit Tims leven getrokken. Van de ene op de andere dag had hij geen vader meer.

Rechercheur Grindbudel had het hem verteld. Hij was ook de man die het onderzoek leidde. De Porsche van Anthonie was bij een leegstaand deel van het industrieterrein in Amstelveen gevonden. Hijzelf lag ernaast. Een kogel had hem in zijn schouder geraakt. Op de een of andere manier was hij uit de auto gekomen en de straat op gestrompeld. Waarschijnlijk heeft hij geprobeerd aan de tweede kogel – in zijn hoofd – te ontsnappen. Tevergeefs.

Tim was blij dat hij zijn vader niet had hoeven zien. Volgens het geroezemoes tussen twee agenten dat hij per ongeluk had opgevangen was zijn vaders gezicht 'een regelrechte puinhoop' geweest. Zijn moeder zat na die opmerking en het zien van de politiefoto's huilend op de bank. Rony was de enige die de foto's daarna nog had willen bekijken. Tim kon zich nog goed voor de geest halen hoe hij emotieloos ernaar stond te kijken en alleen maar in zichzelf mompelde. Alsof hij de kwaliteit van vakantiefoto's beoordeelde. Daarna was hij met de agenten meegegaan om het lichaam te identificeren, iets waar Emma tegenop had gezien. Door zijn tranen heen had Tim zijn moeder afwezig op de bank zien zitten. Ze had hem stevig tegen zich aangetrokken, alsof ze bang was hem ook te verliezen. Het was de eerste keer dat hij zijn moeder had zien huilen.

De volgende dagen waren treurig voorbijgegaan. Net als vandaag.

'… mensen die van ons heen zijn gegaan. Familieleden, vrienden, kennissen of onbekenden…' De pastoor stond bij het graf, een paar meter bij Tim en Emma vandaan.

Nog nooit had Tim zoveel mensen in het zwart bij elkaar gezien. Zoveel zwarte pakken, het leek wel een modieuze kledingzaak. De mensen stonden er stil bij, net als etalagepoppen. Zo nu en dan klonk een zacht gekuch.

Allemaal mensen die uit beleefdheid naar de begrafenis waren gekomen, maar niet de moeite hadden genomen hen die avond bij te staan na het slechte nieuws, dat zelfs op het journaal was geweest. Mensen die zichzelf vrienden van de familie noemden. Een rilling liep over Tims rug.

Rony Atkinson stond in de rij achter hen, in een zwart kostuum en een donkerbruin overhemd. Hij was een van de velen die een zonnebril droeg. Gilles stond naast hem. In tegenstelling tot Rony leek hij zijn verdriet maar moeilijk te kunnen verbergen. Rony keek met een ijzige en ongeduldige blik om zich heen, alsof hij niet kon wachten deze dag zo snel mogelijk te vergeten.

'... heeft de Heer het lichaam van Anthonie Christiaan Verdonkert tot Zich genomen...'

Tim luisterde maar half naar de man die met een bijbel in zijn hand de menigte te woord stond. Voor hem zou dit onderhand wel dagelijkse kost zijn.

Hij voelde de hand van zijn moeder op zijn schouder rusten. Het voelde troostend en zwaar tegelijk. Hij negeerde de drang om die hand vast te pakken. Van de een op de andere dag had hij geen vader meer, maar hij kon zijn verdriet nog niet met haar delen. Iets belemmerde hem daarin.

Tims ogen gleden over de menigte. Een stukje verderop, aan de andere kant van het graf, stond een man in een pikzwart pak met een geel gestreepte stropdas. De man was lang en smal. Tim herkende hem. Het was Pieter Haashout.

'Pieter Haashout is de grootste klootzak die hier rondloopt,' hoorde Tim in gedachten zijn vader zeggen. 'Als iemand achterbaks en oneerlijk is, is hij het. Voor geen cent vertrouw ik die man.'

Tim keek Haashout langer aan dan hij wilde. Zag hij nou iets van medeleven in die dorre ogen?

Pieter Haashout deed het eerste deel van zijn achternaam eer aan, met die net iets te grote tanden en die bolle wangen. Zijn wenkbrauwen stonden hoog op zijn voorhoofd in een eeuwige frons, alsof hij zich zijn hele leven over van alles en nog wat verbaasde. Haashout merkte dat Tim naar hem keek, staarde terug en wendde toen zijn blik af.

De pastoor was uitgepraat en gaf een schepje aan Emma waarmee ze aarde over de kist uitstrooide. Tim had het hele verhaal gemist. Hij hoefde het niet te horen. Hij kende zijn vader op zijn manier. Een verhaal op een begrafenis veranderde daar niks aan.

Zijn moeder gaf hem de schep.

Ergens achteraan stonden Sam en zijn ouders, wist Tim. Ze stonden achteraf, afgezonderd van de rest. Alsof ze er niet bij hoorden. Gelukkig deden ze dat ook niet. Tim keek over zijn schouder naar de mensen achter hem. Was het mogelijk dat de moordenaar ertussen stond? De moordenaar was misschien wel dichterbij dan hij kon vermoeden.

Tim schepte wat aarde op en strooide het uit over de kist. 'Dag pap,' zei hij zachtjes, zodat niemand het kon horen. In de stilte om hem heen was het niets meer dan een stille fluistering.

Rony legde zijn hand op Tims andere schouder en nam opdringerig het schepje van hem over.

Samen met zijn moeder liep hij het kerkhof af. Emma keek naar grond voor haar voeten en weigerde iemand aan te kijken. Ook zijn moeder was in het zwart gekleed, met een sluier voor haar gezicht. Tim kon niet zien of ze huilde.

Bij de uitgang stonden twee mannen te wachten. Ze waren als enigen niet in het zwart en keken in stilte toe hoe Emma en Tim voorbijliepen. Een ervan was rechercheur Grindbudel, de ander kende Tim niet. Hij keek nog eens over zijn schouder naar de rechercheur, die zwijgend terugkeek. Even later kwamen voetstappen dichterbij en voegde Rony zich bij hen.

Mensen in het wit schonken koffie in voor de gasten. Er werd gedempt met elkaar gesproken. Tim keek vanaf een afstandje toe. Sam was naast hem komen staan. Al die mensen, dacht Tim. Er is bijna niemand die ik ken. Wat doen ze hier?

Voor de zoveelste keer verafschuwde hij de wereld waarin hij leefde. Op een of andere manier kon hij de mensen die hier in de aula aanwezig waren alleen maar zien als wandelende strafbladen, al gold dat waarschijnlijk lang niet voor iedereen.

Nu waren ze hier om hun deelneming te betuigen, met een kopje koffie en een biscuitje. Straks gingen ze gewoon weer verder met hun smerige zaakjes en draaide hun misdadige molen gewoon weer door. Zonder Anthonie Verdonkert. En niemand die daar een gemeende traan om liet.

Waarom had zijn vader niet voor een gewoon leven gekozen? Een normale baan en op zaterdag voetballen in het park?

Een hinderlijke brok kwam in Tims keel. Hij dacht eraan hoe zijn vader het hem altijd naar de zin had willen maken. Hoe druk hij het ook had, iedere avond was hij er even om met Tim te praten, meestal totdat een ongeduldige Rony hem weer nodig had. Zijn vader was in het echt zo anders geweest dan hij in de media werd afgeschetst.

Tim moest – met al die sombere mensen – aan een andere plechtige bijeenkomst denken, alweer een jaar geleden. Zijn vader en hij waren samen aan de cola gegaan en hadden min of meer een wedstrijdje gedaan wie de minste slokken nodig had om een glas te legen, tot groot ongenoegen van zijn moeder.

Gewoon dat soort kleine dingetjes. Tim kon er nog steeds om glimlachen als hij eraan terugdacht, maar het deed pijn.

Hij vroeg zich af hoeveel van dat gespuis dat hier rondliep, net zo was als zijn vader? Zijn vader had nooit die kille blik in zijn ogen, nooit die ongeïnteresseerde of arrogante houding. Niet zoals al die mannen en vrouwen die hier rondliepen.

Tim had van zijn vader alles kunnen krijgen wat hij wilde. Een grote kamer, een nieuwe computer, spelletjes, een fiets... zelfs als hij een jacht voor in de vijver had gevraagd, was dat geen probleem geweest. Nu zijn vader er niet meer was, wist Tim pas waar hij echt naar verlangde. Hij hoefde al die onzin niet. Er was maar één ding waar hij echt naar verlangde en hij wist nu al dat hij het nooit zou krijgen.

Zijn moeder zat aan een tafeltje bij de ingang. Een andere vrouw – die Tim niet kende – was bij haar gaan zitten.

Rony stond vlak achter hen te telefoneren. Zo nu en dan kon

Tim hem horen. Hij was gewoon aan het werk. Kennelijk kon hij de beleefdheid niet opbrengen om even te wachten. Zijn compagnon was nog maar net van het toneel verdwenen en hij was op diens begrafenis alweer druk in de weer om de organisatie terug op de rails te zetten.

Hoewel Rony al heel lang met zijn vader en moeder samenwerkte, was hij lang niet overal van op de hoogte. Zelfs Tim wist dat. Nu probeerde hij het volledige inzicht in de organisatie te krijgen. Het liefst wilde hij die samen met zijn moeder draaiende houden, omdat zij rechten had gestudeerd. Dat was zijn vader altijd goed uitgekomen, want daardoor waren onder- en bovenwereld nauw met elkaar verbonden.

Ja, stelde Tim cynisch vast, zijn moeder had rechten gestudeerd. Waarom was ze niet advocaat geworden, in plaats van voor deze kant van de samenleving te kiezen? Wie weet hadden ze dan een normaal leven op kunnen bouwen...

'Hoe is het met ons werkstuk?' vroeg Tim plotseling aan Sam, die zich zichtbaar ongemakkelijk voelde.

'Ons werkstuk?' vroeg Sam. Hij fronste, om de verbazing dat Tim juist daarover begon te onderdrukken. Hij knikte. 'Ja, het gaat wel prima. Ik heb nog wat eh... informatie gezocht.'

Tim knikte. 'Dan moeten we snel weer verder gaan, of niet?'

'Ja, dat is... goed.'

'Jij ook nog een cola?'

3

'De tuin staat er mooi bij voor dit moment van het jaar. Ik had niet verwacht dat die Japanse kers zo snel in bloei zou staan.'
Tim wist dat Gilles in zijn vrije tijd veel aan tuinieren deed. Hij was vaak genoeg bij Gilles thuis geweest en had daar een mooie, sprookjesachtige tuin aangetroffen. Het sprookjesbos van de Efteling was bijna overtroffen.
Bij hen werd de tuin gedaan door een tuinman, die eens in de week langskwam. Tim had het idee dat Gilles die taak stiekem wel op zich wilde nemen, voor als hij zich verveelde en niemand in het huis zijn hulp nodig had.
Gilles was aangenomen als chauffeur, maar deed daarbij veel andere dingen voor hen. Hij kon uitstekend koken, deed zo nu en dan een boodschap of regelde bezoeken van en naar anderen. Eigenlijk was hij het manusje van alles. Tim mocht hem graag. Gilles was als een lieve oom voor hem.
'Ik ben er nog steeds niet achter hoe het komt dat die boom het ieder jaar zo goed doet.' Gilles schudde zijn hoofd, zette zijn petje af en keek naar de enorme Japanse kers, die voor een groot deel over de vijver heen hing. 'Moet je eens kijken. Hij ziet er niet uit, behalve nu hij bloeit. De rest van het jaar is het een onooglijk monster.'
Tim haalde zijn schouders op. Hij had geen verstand van tuinieren. Ze maakten een korte wandeling door de tuin en bleven bij de vijver stilstaan. Het huis lag ver achter hen. Op deze plek voelde Tim zich altijd prettig. Hier kon hij alleen zijn, met zijn gedachten en dromen. Niemand kwam hem hier storen.
'Wat vond je van de begrafenis?' wilde Gilles opeens weten. Hij stond met zijn armen op zijn rug naast Tim.
'Niet zo bijzonder,' gaf Tim te kennen. 'Eigenlijk vond ik er niks aan.'

Een zachte glimlach gleed over Gilles' gezicht. Zijn ogen gaven aan dat hij hem begreep.

'Het paste gewoon niet bij mijn vader.'

'Ik weet wat je bedoelt.' Gilles zuchtte. 'Als je over hem wilt praten, kun je me altijd opzoeken. Dat weet je, hè Tim?'

Zo bleven ze een tijdje staan. Zwijgzaam starend naar de vijver. In stilte genietend van de rust die de grote tuin hun bood. Hier was het alsof de tijd stilstond en niets er nog toe deed.

'Heb jij enig idee wie het gedaan kan hebben?'

De vraag kwam nogal onverwachts, maar toch schudde Gilles vrijwel direct zijn hoofd. Hij keek weg van Tim en in dat korte moment zag Tim zijn ogen fonkelen. Het was net of Gilles ergens aan moest denken wat hij liever was vergeten.

'Nee,' zei hij schor. Hij schoffelde onrustig met zijn voet in het grind naast de boom. 'Ik heb geen idee. Je weet dat het iedereen kan zijn.'

Op dat moment kwam een auto de oprijlaan oprijden. Het was een groene Fiat en hij kwam achter Rony's witte BMW tot stilstand. Twee mannen stapten uit. Een ervan was rechercheur Grindbudel. De ander had Tim ook op de begrafenis gezien. Even dacht hij dat ze naar binnen zouden gaan, maar ze kwamen naar hen toe.

Rechercheur Grindbudel liep voorop, zijn handen weggestoken in de diepe zakken van zijn groene jas. Hij leek wel een speurder uit zo'n klassieke Engelse detectiveserie, bedacht Tim. Zo eentje die in vijftig minuten een moord oplost. Op de televisie, uiteraard.

De andere man was een kop kleiner dan zijn collega en een stuk jonger. Tim schatte hem nog geen tien jaar ouder dan hijzelf. Hij droeg een spijkerbroek en een wit T-shirt. Zijn haar was kort en zat in stekels, waardoor hij eerder op een student leek dan op een agent.

'Goedemiddag, meneer Montiers,' zei Grindbudel. Hij knikte voor de vorm naar Tim.

Tim vond rechercheur Grindbudel net een vos, het was alsof zijn spitse gezicht hem alvast wilde waarschuwen voor zijn sluwe trekjes. Hij kende de rechercheur niet, maar het leek Tim geen plezierige man. Niet om mee samen te werken en niet om tegen je te hebben.

'We hebben elkaar al gesproken. Dit is mijn collega...' Grindbudel wees naar de jongeman.

Die haalde een pasje tevoorschijn en stak dat in de lucht. 'Aangenaam. Inspecteur Van Drongen.' In tegenstelling tot zijn baas leek hij wel te kunnen glimlachen.

'Juist ja.' Grindbudel negeerde zijn collega en kwam terzake. 'Ik heb nog wat vragen rond het onderzoek. Dat is er de afgelopen dagen niet echt van gekomen.' Het klonk als een verwijt.

Gilles keek opzij naar Tim en fronste zijn voorhoofd. 'Ik geloof niet dat dit het juiste moment is, rechercheur. Mevrouw Verdonkert heeft vandaag haar man begraven. Daar zult u toch wel begrip voor hebben?'

'We komen niet voor mevrouw Verdonkert,' zei Van Drongen. Zijn stem klonk prettiger dan die van Grindbudel. 'We komen voor u.'

'Ah, zo.' Gilles haalde zijn schouders op. 'Ga uw gang.'

Van Drongen keek kort naar Tim en stelde de eerste vraag. 'Wat was uw relatie tot Anthonie Verdonkert?'

Het duurde even voor Gilles antwoord gaf. Misschien moest hij eerst nadenken over wat hij ging zeggen, of probeerde hij de juiste woorden te vinden. 'Ik was zijn chauffeur,' antwoordde hij.

Van Drongen wisselde een blik met Grindbudel, die het gesprek zwijgzaam gadesloeg. Het had er veel van weg dat hij liever was thuisgebleven.

'Zijn chauffeur?' vroeg Van Drongen. 'Reed u Anthonie Verdonkert?'

'Ja, wat is daar mis mee?' Gilles' reactie was nogal giftig.

Van Drongen haalde zijn schouders op. 'Kon u geen andere baan vinden? Verdonkert had zelf ook een rijbewijs.'

'Ik snap niet waarom u zich met mijn baan bemoeit. U bent toch aangesteld om een moord op te lossen?' Gilles keek hem nu recht aan. 'U vroeg mij naar mijn relatie tot Anthonie Verdonkert en ik heb u antwoord gegeven. Meer ben ik u niet verschuldigd.'

Van Drongen perste zijn lippen samen. 'Ook goed,' zei hij. 'Dan heb ik een andere vraag.'

Rechercheur Grindbudel stond ongeïnteresseerd op een stukje kauwgum te kauwen.

'Is u iets opgevallen aan meneer Verdonkert op de dag van de moord?' Van Drongen keek weer even naar Tim. Het leek wel of hij hem probeerde te peilen.

Die ochtend was niets voorgevallen. Tenminste, niet voor zover Tim wist. Dat was tot het moment dat hij op zijn fiets stapte en naar school ging. Maar wat er de rest van de dag was gebeurd, kon hij niet weten. Waarom vroeg Van Drongen daarnaar? Dacht hij soms dat er ruzie was geweest?

'Mij is niets aan hem opgevallen,' antwoordde Gilles.

'Niets,' herhaalde Van Drongen. 'Echt helemaal niets? Hij maakte geen gespannen indruk op u? Hij voelde niets aankomen? Niet een klein teken van paniek?'

Tim zag in een fractie hoe Grindbudel bestraffend naar de jonge inspecteur keek. Hij deed zijn mond open om iets te zeggen, maar klapte die op het laatste moment toch maar dicht. Toen hij Tim zag kijken, wendde hij zijn blik voor een kort moment af.

'Nee,' maakte Gilles het verhaal af. 'Mij is echt niets aan hem opgevallen.'

'We weten genoeg,' zei Grindbudel met een ongeduldig gebaar. Hij maakte aanstalten om zich om te draaien, maar zijn collega bleef staan.

'Momentje,' zei Van Drongen, zonder acht te slaan op Grindbudel. 'Nog één ding, meneer Montiers...'

Grindbudel keek vanaf een afstandje geërgerd toe. Een diepe rimpel lag in zijn voorhoofd. Het leek net of de zaak hem geen bal interesseerde. Misschien was dat ook wel zo.

'Waar was u op de dag van de moord, tussen twee en zes uur 's middags?'

Gilles kuchte. 'Moet ik even denken,' zei hij. 'Ik was hier tot ongeveer kwart voor vier. Toen ben ik naar huis gegaan.'

'Kan iemand dat bevestigen?'

Gilles haalde zijn schouders op. 'Waarschijnlijk mijn vrouw,' zei hij. 'Ze was thuis.'

Van Drongen knikte. 'Oké, dank u wel, meneer Montiers. Dat was het. Fijne avond verder.'

'Waar ging papa die middag eigenlijk naartoe?'

Tim zat met zijn moeder aan tafel. Ze aten hun toetje. Het was de eerste keer dat Tim de vraag stelde, hoewel hij er vaker over had nagedacht.

Emma haalde haar schouders op. 'Dat is niet van belang,' antwoordde ze. 'Hij moest nog wat zaken regelen.' Ze droeg een witte blouse en een donkere blazer. Zoals ze vrijwel altijd gekleed ging. Haar ogen waren leeg en flets, net zoals de rest van haar gezicht. Ze straalde verdriet uit.

Tim liet zijn lepel zakken. 'Waarom was hij op weg naar Amstelveen? Had hij daar een afspraak?'

'Tim, nogmaals, dat is niet van belang. Ik wil niet dat jij je hiermee bezighoudt. Het is al erg genoeg wat er is gebeurd.' Haar ogen werden feller, maar de toon van haar stem veranderde niet. Ze nam de laatste hap uit het plastic bekertje en trok een fles cognac naar zich toe. Met een diepe zucht schonk ze een glas vol en nam er een slok uit.

'Waarom was Pieter Haashout vandaag op de begrafenis?'

Emma haalde haar schouders op. 'Er waren wel meer mensen die ik liever niet had gezien, maar je vader kende ze nu eenmaal.'

'Was papa naar hem toe, die middag?'

'Tim,' zei zijn moeder met een zucht. 'Houd er nu mee op, alsjeblieft. Heb je niks meer voor school te doen?' Ze nam nog een slok cognac en keek uit het raam.

'Waarom hou je me erbuiten, mama?' Hij zette zijn toetje aan de kant. 'Het was *mijn* vader. Ik heb toch recht om te weten waar hij naartoe was toen het gebeurde?'

'Ik heb er nu geen zin in.' Emma nam haar cognac en liep naar de woonkamer.

Tim volgde haar. 'Dan vraag ik het wel aan Rony,' zei hij.

'Doe niet zo belachelijk,' beet ze hem toe. 'Je blijft bij Rony uit de buurt, heb je dat begrepen?'

'Nee, niet als jij het me niet vertelt.' Het was lang geleden dat hij zo dwars was geweest.

Emma bleef halverwege de kamer staan. Ze draaide zich naar hem om. 'Hou nou eens op met dat gezeur, Tim Verdonkert. Anders ga je maar weg.'

'Waarom is papa eigenlijk dood?' Tim keek haar afwachtend aan, alsof zij de antwoorden op al zijn vragen had. 'Is hij te ver gegaan? Heeft hij iemand kwaad gemaakt? Of kwam het door een van de ruzies hier in huis? Ik heb jullie wel gehoord, hoor. Vaak genoeg. Papa had regelmatig ruzie met jou of met Rony. Heeft het daarmee te maken?'

'Ach jongen toch.' Ze kwam dichterbij en legde haar hand op zijn schouder. 'Doe niet zo raar. Natuurlijk heeft dat er niks mee te maken.'

'Hadden jullie niet voor een gewoon leven kunnen kiezen?'
Tranen prikten achter zijn ogen. 'Jij had toch heel goed advo-
caat kunnen worden? Papa had vast ook wel iets anders kunnen
gaan doen.'
Emma trok hem tegen zich aan. 'Stil maar, lieverd. Stil maar.'
Ze streek zachtjes over zijn hoofd. 'Huil maar, als dat oplucht.
Dat mag best.'
'Ik wil weten wie het gedaan heeft,' huilde hij. 'Waarom toch?'
'Lieverd, daar moet jij je niet mee bezighouden.' Ze wiegde
hem heen en weer. 'Dat is een zaak voor de politie. Daar zijn
die twee rechercheurs voor.'
'Maar jij weet toch ook wel dat er niets wordt opgelost?
Hoeveel criminelen worden er per jaar wel niet vermoord,
alleen in Amsterdam al? En is er ooit één zaak opgelost…?'
Er klonk een kuchje. Over Emma's schouder zag Tim dat Rony
de kamer in was gekomen. Hij had twee andere mannen bij
zich. Ze keken wat ongemakkelijk naar Tim en Emma. Onder
zijn arm droeg Rony een laptop. 'Zal ik me even terugtrekken?'
Hij zei het overduidelijk met tegenzin.
'Rony…' Emma liet Tim los. 'Nee, nee, kom verder.'
Rony ging op de bank zitten en startte de laptop op. Hij wees
de twee mannen op een zitplaats. 'Ik heb nog wat punten op
een rij gezet. Die wil ik straks met jullie bespreken.'
Emma duwde Tim zachtjes in de richting van de keuken. 'Eet
nog even je toetje op. Ga dan lekker naar boven en kijk wat televisie of zo. Het spijt me, maar ik heb nu een belangrijk
gesprek.'
Tim keek haar na, terwijl ze in de woonkamer verdween en de
gasten aansprak. Hij ging zitten en at zijn toetje op. Op de
achtergrond hoorde hij zijn moeder gedempt met de mannen
praten. 'Goed dat jullie gekomen zijn,' zei Rony. 'Want
ondanks alles moeten we toch door.'

'Hoe zit het met de politie?' vroeg een van de vreemde mannen. 'Is het niet wat link dat Johan en ik hier komen, terwijl zij volop met het onderzoek aan de gang zijn?'

'Nee, dat valt wel mee,' zei Rony. 'Ik heb het geregeld. De politie richt zich alleen op de moordzaak. Daar zijn ze voor aangesteld. Zodra ze iets anders opmerken, gaat er weer een tijd overheen voor ze toestemming krijgen. Mochten ze al eerder moeilijk doen, dan maken onze advocaten gehakt van ze. En dat weten ze maar al te goed.'

'Fred heeft die rechercheur Grindbudel nog eens nagetrokken,' zei de tweede vreemdeling, die dus Johan heette.

'Ja,' zei Fred. 'Het is geen lieverdje. Bij de politie Amsterdam-Amstelland is ie…'

Tim luisterde niet meer. Hij ruimde de tafel af en zette alle vuile vaat in de vaatwasser. Hij keek door het raam of hij Gilles' auto nog zag staan, maar hij was al naar huis.

De laatste tijd had Tim steeds vaker het gevoel dat hij iets miste. Dan zocht hij naar iets of iemand door uit het raam te kijken. Zoals nu naar Gilles, of overdag naar Sam en zijn moeder. Maar als hij dan iemand vond om mee te praten, had hij steeds het gevoel dat hij toch niet gevonden had wat hij zocht. Hij zou nooit meer vinden wat hij zocht. Dat gevoel was ondraaglijk.

Hij ging maar eens naar zijn kamer. Misschien kon hij nog wat met Sam chatten, die was rond deze tijd meestal wel on-line.

Toen hij door de gang liep, ving hij nog een kort stukje van het gesprek op.

'… jonge rechercheur. Die Van Dommel?'

'Van Drongen bedoel je. Dat broekie. Ik heb niks anders kunnen vinden dan dat ie net is afgestudeerd…'

4

Later die avond, het was tegen tien uur, klonken er voetstappen op de trap. Voor de deur van zijn kamer hielden ze stil.

Tim zat een game te spelen. Hij zette het spel op pauze en legde de joystick op zijn bureau. Aan de voetstappen kon hij horen dat ze niet van zijn moeder waren. Was Gilles misschien teruggekomen? Het kwam wel vaker voor dat hij dan speciaal naar boven kwam om hem gedag te zeggen of een praatje te maken.

'Hoi.' Het was Rony. Hij bleef wat ongemakkelijk in de deuropening staan en leunde met zijn ellebogen tegen de deurpost.

'Hoi,' zei Tim verbaasd.

Rony keek de kamer rond. 'Mooie kamer heb je. Fan van Metallica, zie ik?'

Tim haalde zijn schouders op. 'Een beetje,' zei hij. Hij bedacht zich dat Rony hier dag in dag uit was, maar nog nooit op zijn kamer was geweest.

Rony knikte langzaam. Zijn vingers trommelden op de deur.

Tim keek hem verwachtingsvol aan. Hij kon zich niet voorstellen dat Rony hier zomaar voor de gezelligheid was.

Rony keek even naar de computer die aanstond en een man met vuurwapens liet zien. Hij maakte er een kort hoofdgebaar naar. 'Schoolzaken?'

Misschien was het een poging om vlot en cool over te komen, maar daar slaagde hij niet in.

'Nee.'

Ongevraagd kwam hij de kamer binnen en liet zich in een stoel vallen. 'Ik ben hier om te zeggen hoe erg het me spijt.' Hij keek van Tim naar het plafond en weer terug. 'Wij zijn niet altijd gemakkelijk met elkaar omgegaan, maar ik vind het vreselijk voor je wat er met Anthonie is gebeurd.'

Tim zweeg. Hij had nooit goed met Rony op kunnen schieten. Wat daar de reden van was, wist hij niet. Rony bleef altijd op afstand en deed vaak nors tegen hem. Waarom was hij nu ineens hier? Stiekem was Tim toch wel nieuwsgierig naar hem. Al zou hij dat nooit toegeven.

'Ik zie aan je moeder dat ze het erg moeilijk heeft. Enerzijds heeft ze verdriet om wat er gebeurd is, anderzijds wil ze sterk zijn voor jou. Gelukkig is ze heel sterk. Ik zou niet weten hoe ik het in haar plaats zou hebben gedaan.'

Tim haalde zijn schouders op.

'Ik maak me ook zorgen om je.' Rony vouwde zijn handen samen en boog zich naar voren. 'Waarschijnlijk zul je dat niet begrijpen – en dat hoeft ook niet – maar ik ken je al sinds je geboorte. Ik werkte toen al met Anthonie samen. Dat wij het nooit zo goed hebben kunnen vinden, is niet aan jou te wijten.' Hij zuchtte. 'Eigenlijk vind ik het niet meer dan eerlijk dat ik je iets meer over mezelf vertel. Misschien dat je er al wat van weet, maar ik heb zelf ook een kind.'

Tim keek op. Zijn moeder had het ooit wel over een kind van Rony gehad, maar dat was al lang geleden. Hij was het alweer vergeten. 'Een kind?'

Rony knikte. Voor het eerst zag Tim een trotse glimlach, al ging die verscholen achter een zure grimas. 'Ja, in Engeland. Ze is vier jaar ouder dan jij en ze heet Alice, eigenlijk Alicia. Ik heb haar al meer dan tien jaar niet gezien. De laatste keer was op haar zevende verjaardag.'

Tim wist niet wat hij moest zeggen. De verklaring kwam nogal onverwacht.

'Mijn verleden in Engeland is niet zo heel zuiver. Alice werd geboren toen ik…' Hij zuchtte. 'Ik zat in de gevangenis. Toen ik verlof kreeg om haar op te zoeken, was haar moeder met haar vertrokken. Na anderhalf jaar kwam ik vrij en ben ik naar ze op zoek gegaan. Ik had helemaal geen kwaad in de zin. Ik wilde alleen mijn dochter zien. Een vader voor haar zijn.' Er fonkelde iets in Rony's harde ogen.

'Maar je vrouw wilde dat niet?' Tim voelde een raar gevoel in zich opkomen. Hij bleef zich maar afvragen waarom Rony hem dit ineens allemaal vertelde. Was dit echt de reden van hun sobere contact?

Rony schudde droevig zijn hoofd. 'Ik had me in de gevangenis voorgenomen om te stoppen en een gewone baan te zoeken. Ik heb diploma's en mijn strafblad is niet eens zo heel shockerend. Dat wilde ik allemaal voor Alice. Maar haar moeder wilde niet dat ik een rol speelde in haar opvoeding. Volgens haar moest Alice opgroeien in een veilige wereld, waar geen boeven over de vloer kwamen.'

'Zoals hier wel gebeurt,' mompelde Tim.

Rony knikte. 'Dat is de reden dat ik zo afstandelijk naar je ben geweest. Maar eigenlijk had ik bot moeten zijn tegen Anthonie en Emma. Zij hebben hun kind wel opgevoed in een criminele omgeving, ondanks dat ze van de gevaren en risico's wisten. Maar wat me het meest dwarszat is dat zij wel elke dag hun kind konden zien. Ik heb mijn dochter maar een paar keer mogen zien. We hebben nog nooit met zijn tweeën met elkaar gesproken. Haar moeder is er altijd bij. Alice ziet me als een volslagen vreemde.'

'Als ze vier jaar ouder is dan ik, moet ze nu zeventien of achttien zijn.'

'Ze is zeventien,' zei Rony. 'Over een paar weken wordt ze achttien.'

'Dan mag ze toch zelf gaan bepalen of ze je wil leren kennen?' zei Tim. 'Of is dat in Engeland niet zo?'

'Jawel. Ik heb haar jarenlang brieven gestuurd. Maar nooit heb ik antwoord gekregen. Ik denk dat mijn ex de brieven onderschept. Een paar weken geleden heb ik er met je vader over gesproken. Hij wilde me graag helpen. Hij kende de geschiedenis, want toen ze geboren werd werkten we al een tijdje samen, hij in Amsterdam, ik in Londen. Anthonie en ik hebben een detective naar Londen gestuurd om haar op te sporen, als ze daar nog is.'

'Heb je al iets gehoord?'

Rony schudde zijn hoofd. 'Nee, nog niets. Vandaag of morgen belt hij me om verslag uit te brengen. Bij ieder telefoontje hoop ik dat hij het is, met goed nieuws.'

Tim vond het vreemd. Een half uur geleden had hij Rony nog een ijskoude man gevonden, die hij totaal niet mocht, die hij nooit had gemogen. Maar nu, na zijn verhaal, begon hij toch enige sympathie voor hem te voelen. Hij besefte dat Rony hier het achterste van zijn tong had laten zien, hem in vertrouwen had genomen over een pijnlijke kwestie in het verleden. Er was iets veranderd, want dat zou hij nooit eerder gedaan hebben. Rony was misschien zo kwaad nog niet.

'Hoe dan ook,' zei Rony, 'om een lang verhaal kort te houden, brengt me dat weer terug op jou. Toen Anthonie stierf, besefte ik dat ik het heel erg voor je vond. Ik heb nooit interesse in je getoond. Ik heb nooit leuk gereageerd toen Anthonie me trots vertelde dat je tanden kreeg, dat je "papa" tegen hem zei, dat je je naam kon schrijven en weet ik wat al niet meer. Geloof me dat ik daar nu heel veel spijt van heb, ik was gewoon jaloers.'

Tim keek naar de punten van zijn schoenen.

'Voor Anthonie zou het zo leuk zijn geweest als wij met elkaar hadden kunnen opschieten. Niet alleen voor hem natuurlijk, ook voor ons.' Hij glimlachte verlegen. 'Daarom ben ik hier nu. Ik wilde eigenlijk weten hoe het met je is.'

Zijn donkere ogen straalden nog steeds een zekere kilheid uit, maar Tim slaagde er voor het eerst in er doorheen te kijken.

'Ik heb er nooit rekening mee gehouden dat zoiets kon gebeuren,' zei Tim. 'Ik zag het niet aankomen.'

'Dat neemt niemand je kwalijk.'

'Ik mezelf wel.' Tim wist niet waarom hij opeens zo eerlijk was tegen Rony, die aandachtig luisterde. Tim ging verder. 'Hoe vaak is het niet op het nieuws? Weer een onderwereldfiguur geliquideerd. Om de haverklap legt iemand het loodje. Vorige maand nog. Waarom heb ik er nooit bij stilgestaan dat mijn vader de volgende kon zijn? Hij hoort daar net zo goed bij.'

Rony keek hem begrijpend aan. 'Jij zag je vader als je vader,' verklaarde hij. 'Zoals een zoon zijn vader ziet. Op de een of andere manier legde je niet de link tussen Anthonie en al die anderen.'

Tim schudde zachtjes zijn hoofd. 'Wie weet is mijn moeder de volgende,' zei hij zacht.

Rony schudde zijn hoofd. 'Op die manier mag je er niet over denken. Je moeder kan ook ziek worden of onder een bus lopen. Bovendien past ze heel erg goed op zichzelf.'

'Nee,' zei Tim, 'dat doet ze niet. Even dacht ik van wel, vlak na papa's dood. Maar vandaag is ze gewoon weer verder gegaan met die twee mannen. Pas als ze stopt, past ze goed op zichzelf. En dan nog is het de vraag of ze ermee wegkomt.' Hij wilde eigenlijk nog meer zeggen, maar besefte dat hij alle zorgen die hij had zomaar aan Rony toevertrouwde. Wie weet wat hij ermee ging doen? Hoe serieus nam hij hem eigenlijk? Hij zweeg.

Rony gaf geen antwoord. Hij sloeg zijn benen over elkaar en slaakte een diepe zucht. 'Je moeder houdt zielsveel van je,' merkte hij op. 'Ze vertelde me dat ze niets liever wil dan met jou vertrekken en een nieuw leven beginnen. Ver weg van Amsterdam.'

'Echt?' vroeg Tim wantrouwend. Dat had hij nooit van haar verwacht.

Rony knikte. 'Ja, echt waar. Maar het kan nog niet. Na wat er met je vader is gebeurd, moet er veel gedaan worden. Je moeder is er hard mee bezig. Maar geloof me, vroeg of laat stopt dit. Ik ben ervan overtuigd dat je een gelukkige tijd tegemoet gaat. Ook al zie je dat zelf nog niet.'

Tim wist niet wat Rony verstond onder een gelukkige tijd. Niemand had ooit aan Tim gevraagd of hij echt gelukkig was. Iedereen ging er gewoon vanuit dat hij dat was. Nu hij er goed over nadacht, begon hij zelf te twijfelen. Waar lag zijn geluk? In ieder geval niet in dit smerige wereldje.

'Je moeder vindt het verschrikkelijk dat ze niets aan je verdriet kan doen,' legde Rony uit. 'Zoals vanavond. Ze zag dat het je dwarszat. Je wilde weten waar hij die dag naar toe was, maar ze kon je dat niet vertellen.'

'Maar ik heb daar toch recht op, om dat te weten?' Het klonk feller dan hij had bedoeld.

Rony fronste. 'Eigenlijk wel,' beaamde hij toen. 'Al kan ik me heel goed voorstellen dat Emma je er buiten houdt.'

Tim schudde zijn hoofd. Wat maakte het nou uit?

'Je moeder zal de rest van haar leven alles op alles zetten om jou veiligheid te bieden. Zeker na de dood van je vader. In deze wereld is veiligheid heel erg lastig. Mensen die kwaad willen, krijgen dat vrijwel altijd voor elkaar.'

'Mijn moeder werd boos,' zei Tim. 'Toen ik het haar vroeg.' Dat had hem alleen maar meer op stang gejaagd. Hij wilde nu des te meer weten waar zijn vader die dag naartoe was gegaan. Maar dat zei hij niet tegen Rony.

'Dat was ze niet echt. Ze was bezorgd. Dat is ze nog steeds. Ze is bang dat je er alsnog achterkomt, of zelf op onderzoek uitgaat als ze niets zegt. Daarmee kom je diep in de problemen. Mensen in deze business zitten er niet op te wachten dat pubers in hun leven graven.'

'Ik wil helemaal geen problemen. Ik wil alleen weten wie het gedaan heeft.'

'Juist. En dat willen we allemaal. Je moeder, Gilles, ik, de politie. En die is daar druk mee bezig.' Rony boog zich naar voren en legde een hand op Tims knie. 'Je bent een heel pientere jongen. Je ziet het zelf nog niet, maar je lijkt sprekend op je vader. Zorg er alsjeblieft voor dat je niet de verkeerde keuzes maakt.'

'Ik kijk daar wel voor uit,' zei Tim. 'Maar doen jullie dat ook?'

'Hoe bedoel je dat?'

'Mijn moeder zegt dat ze graag met mij een nieuw leven op wil bouwen, maar ondertussen gaat ze wel verder met de zaken van mijn vader.'

Rony knikte. 'Ik begrijp je probleem.' Hij zuchtte diep. 'Weet je, Tim? Het is geen kunst om in deze wereld terecht te komen. Maar wel om eruit te stappen.'

Dat betwijfelde Tim niet. Maar voor zijn moeder lag het toch anders? Zij was altijd wel betrokken bij de organisatie, maar opereerde eigenlijk alleen maar achter de schermen. Vrijwel niemand wist wat haar precieze rol was. Waarom zou ze zich niet helemaal kunnen terugtrekken? Als ze het een beetje goed deed, zou niemand het merken. Rony zou haar toch zeker wel laten gaan?

'Eigenlijk ben ik degene die je vader opvolgt. Ik probeer zijn zaken weer op orde te brengen. Maar daar heb ik wel de hulp van je moeder bij nodig.'

Toch had Tim het gevoel dat zijn moeder niet helemaal van plan was te stoppen. Iets in hem waarschuwde hem daarvoor.

'Je moeder is erg bang om jou ook te verliezen,' ging Rony verder. 'Als ze jou kwijtraakt, vergeeft ze het zichzelf nooit.'

'Waarom zou ze mij kwijtraken?' Tim haalde zijn schouders op. Hij had toch niets met dat wereldje te maken? Waarom zou iemand hem wat aandoen? Of was dat niet wat Rony bedoelde?

'Zoals ik al zei, je lijkt heel erg op je vader. Je moeder is bang dat je teveel op hem lijkt. Als jou onrecht wordt aangedaan, wil je dat rechtzetten. Als de politie de moord niet oplost, wil je dat zelf doen? Nietwaar?'

Tim haalde zijn schouders op. Misschien wel. Rony kende hem beter dan hij dacht. Zover had hij er nog niet over nagedacht. Dat hij wilde weten wie de dader was, betekende niet dat hij er zelf naar ging zoeken. Wie zou in zijn situatie níet willen weten wie er verantwoordelijk was? Iemand had het recht in eigen hand genomen en hem zijn vader had afgepakt, alsof het om een stuk speelgoed ging.

'Daarom vroeg ik of je er voor oplet dat je niet de verkeerde keuzes maakt. Uit veiligheid.'

'Ik zal geen verkeerde keuzes maken,' zei Tim. 'Maak je geen zorgen. Ik laat het onderzoek aan de politie over.' Hij glimlachte om zijn woorden kracht bij te zetten.

Rony leek opgelucht en kwam overeind. 'Dan zal ik je nu verder met rust laten.' Bij de deur draaide hij zich om. 'Oh ja, Tim. Ik denk dat je moeder het fijn zou vinden als je straks nog even naar beneden komt.'

Tim knikte. 'Ik zal wel zien.'

Daarna deed Rony de deur achter zich dicht en hoorde Tim zijn voetstappen de trap afgaan.

Hij was weer alleen en staarde met een lege blik in zijn ogen naar de computer. De screensaver sprong aan.

5

Het weekend ging traag voorbij. Voor het eerst in zijn leven was Tim blij dat het maandag was en hij weer naar school mocht. Hopelijk kreeg hij daar wat afleiding.

Hij was niet meer naar school geweest sinds vorige week maandag, de dag van zijn vaders dood.

'De toets is bijzonder goed gemaakt, gezien jullie vorige resultaten. Jullie krijgen hem straks terug, maar jullie mogen er niets in veranderen.' Jansen liep rond en deelde de toetsen uit.

'Wij moeten nog een afspraak maken wanneer je de toets kunt inhalen, Tim.'

Tim knikte.

'Kom na de les maar even bij me langs, dan regelen we het.'

Jansen liep door en Tim keek naar de toets van Sam. Hij had er een acht voor.

'Goed, iedereen heeft de toets terug.' Jansen stelde zich weer als een soldaat voor de klas op en hield zijn eigen blaadje strak voor zich. 'We lopen de zinnen stuk voor stuk even door, zodat jullie de vervoegingen bij de volgende toets nog beter kunnen toepassen. Zin één, Sam.'

Tim deed de rest van de les zo goed mogelijk mee. Toen de bel ging raapten ze hun spullen bij elkaar. Op weg naar de aula spraken ze niet. Tim merkte dat het geklets in de gang wat terughoudend werd toen hij passeerde. Hij probeerde er niet op te letten.

Zijn vaders dood was uitgebreid in het nieuws geweest en had vrijwel alle voorpagina's gehaald. Ook de vele journaals op televisie hadden er aandacht aan besteed. Een van de kranten had zelfs in een bijlage een portret gepubliceerd van zijn vader, waarin zijn criminele carrière nog eens op een rijtje was gezet.

In de aula legde hij zijn tas naast die van Sam en een paar andere klasgenoten. Hij liep naar de kantine en legde een broodje en
een beker melk op een dienblad. De conciërge bij de kassa
wierp hem een flauwe glimlach toe en rekende zo snel mogelijk
af. Tim ging naar zijn plek.

Ergens aan de andere kant van de ruimte zat Remon. Hij keek
Tim aan. Tim keek terug. Uiteindelijk sloeg Remon zijn ogen
neer.

Op de een of andere manier voelde de sfeer heel anders aan
dan vorige week. Misschien beeldde hij het zich alleen maar in,
maar het leek wel of niemand wist wat ze met de stilte aan-
moesten. In gedachten zag hij ze naar hem wijzen, hoorde hij
ze zeggen: 'Dat is de zoon van die drugsbaron, die vorige week
is vermoord.'

Sam zat zwijgend naast hem en at zijn brood. Kennelijk wist hij
ook niet goed waar hij over moest beginnen. Tim vond het wel
prima zo.

Tim was opgelucht toen de bel ging. Hij sjokte achter Sam aan
naar de les levensbeschouwing. Halverwege de gang voelde hij
een hand op zijn schouder. Hij draaide zich om en schrok toen
hij het gezicht van Remon zag.

'Hé, Tim, eh...'

'Ja?'

'Ik eh...' Remon schudde zijn hoofd en kuchte. 'Het spijt me
heel erg voor je. Sorry van vorige week. Ik had het niet zo
bedoeld.'

'Je kon het ook niet weten,' antwoordde Tim, verbaasd over
zoveel medeleven. Hij haalde zijn schouders op. Daar is hij lekker laat mee, met zijn spijt, dacht hij.

De les levensbeschouwing ging langs hem heen. Hij zat achterin, naast Sam, met zijn agenda op schoot. Daarin had hij twee
foto's geplakt. Die waren nog maar kort geleden genomen. Eén

ervan was zijn moeder, die met een grote zonnebril en een kopje thee van de vroege voorjaarszon genoot. Speciaal voor de foto had ze een luie houding aangenomen en de zonnebril op het puntje van haar neus gezet.

Tim slikte toen hij de tweede foto bekeek. Het was zijn vader, bij het raam. Hij droeg een donkerbruine polo en een crème-kleurige broek. Dat droeg zijn vader het liefst, vooral in die kleuren. Zelfs in de winter. Tim had de foto plotseling genomen, waardoor zijn vader verrast in de lens keek. Het bleef moeilijk om die verschrikkelijke dag voorgoed uit zijn geheugen te snijden. Hij wilde alleen de leuke dingen in zijn herinneringen bewaren. Tim keek nog eens naar de foto. Het beeld zou hem altijd bijblijven.

Tim liep om de vijver en schopte tegen een paar losse takken. Nog een paar maanden en de zomervakantie begon. Vorig jaar was hij met Sam en zijn ouders mee geweest naar een camping in Limburg. Hij had goede herinneringen aan die twee weken. Zijn ouders waren zelfs een dag langs geweest om hem op te zoeken. Ze hadden het prima met Sams ouders kunnen vinden. Hij keek uit over het troebele water en zocht naar enig teken van leven in de vijver. De vijver was groot genoeg om een walvis in te houden, maar de tuinman had het bij een paar goudvissen gelaten. De oranje diertjes lieten zich echter nooit zien. Mogelijk dat een of andere reiger er meer van wist.

Hij liep verder en stond onder de Japanse kers toen een zwarte Mercedes het erf op reed. Het was de auto van Gilles, waarin hij Anthonie regelmatig had rondgereden. Eigenlijk was de auto niet echt van Gilles, maar van zijn vader en Rony. Die hadden onderhand een eigen wagenpark bij het huis verzameld. Gilles mocht de auto na werktijd gewoon meenemen en reed dus eigenlijk een auto van de zaak.

Tim herkende de mannen die uitstapten. Het waren weer die Johan en Fred. Rony was er ook bij. Met z'n drieën gingen ze naar binnen. Ze zagen hem niet staan. Of deden alsof.

Gilles had Tim wel gezien en kwam naar de boom toe. Hij zag er afgepeigerd uit. Het leek erop dat hij een zware dag achter de rug had.

'Jij hebt je verdekt opgesteld,' merkte hij op. Zijn handen staken in de zakken van zijn groene bodywarmer. Daaronder droeg hij een bruine wollen trui. 'Hoe ging het op school?'

Tim schokschouderde. 'Beroerd. Waar komen jullie vandaan?' Hij wist dat Gilles daar liever niet over sprak, omdat Gilles hem net als zijn vader altijd buiten de zaken hield. Het verraste Tim dan ook dat hij toch antwoord kreeg.

'Van de Yinx, in het centrum.'

Tim had de naam al vaker horen noemen. Het was een bekende coffeeshop in Amsterdam. Ze verkochten er ook ander spul dan koffie, wist hij. Het kwam bij zijn vader vandaan.

Ongemerkt dacht hij aan vorige week, toen Remon hem om een pak snuif had gevraagd. Daarmee had hij cocaïne bedoeld. Maar daar had zijn vader helemaal niet in gehandeld. Tim wist er niet veel vanaf, maar wel dat zijn ouders hasj en marihuana importeerden uit Pakistan en dat hier verkochten aan coffeeshops en andere afnemers. Het zware spul – zoals cocaïne en heroïne – lieten ze aan anderen over.

Eigenlijk, als hij er eens goed over nadacht, waren zijn ouders helemaal niet zo crimineel geweest als ze in de media werden afgeschilderd. Tegenwoordig handelden zoveel mensen in softdrugs. Bovendien werd er in de Tweede Kamer druk over gesproken om het legaal te maken.

'Wat moest Rony bij de Yinx?' Normaal ging zijn vader daar nooit heen. Hij had er zijn mensen voor om het spul af te leveren.

Gilles zuchtte. 'Dat wil je niet weten,' zei hij. 'Ik ben blij dat ik niet mee naar binnen hoefde en in de auto op ze mocht wachten.'

'Wat hebben ze dan gedaan?'

'Laat nou maar, Tim.' Gilles probeerde het onderwerp van zich af te schudden.

Tim klakte met zijn tong. 'Hebben ze de eigenaar aangepakt?' Hij wist wel dat dat soms gebeurde. Bijvoorbeeld als de eigenaar niet meer wilde kopen, of als hij ergens anders drugs inkocht.

'Zoiets.' Gilles zweeg.

'Waarom? Heeft hij niet goed genoeg verkocht of zo?' Tim giste zomaar wat naar een antwoord, in de hoop alsnog wat te horen.

Gilles zuchtte. 'Nee, het zit anders,' zei hij. 'Je vader...' Hij schudde zijn hoofd.

'Ik wil het weten, of wil jij me ook overal buiten houden?'

Gilles bewoog wat ongemakkelijk en keek van Tim naar het huis en weer terug. 'Goed dan, het stelt niet veel voor. Na de dood van je vader dacht de eigenaar zijn spul ergens anders vandaan te kunnen halen. Rony heeft duidelijk gemaakt dat hij dat beter niet kan doen.'

Iets in Gilles' stem deed het ergste vermoeden. Tim wist niet of het verstandig was nog verder door te vragen, maar probeerde het toch: 'Wat heeft Rony gedaan?'

Gilles pufte. Hij keek naar de lucht, alsof hij graag in de grond wilde wegzakken om geen antwoord te hoeven geven. 'Die man wilde niet geloven dat Rony de zaken van Anthonie heeft overgenomen. Ik weet het verder ook niet precies. Ik heb het alleen achteraf in de auto gehoord, voor zover ze het er nog over hadden.' Gilles had snel gesproken, alsof hij spijt had van zijn openhartigheid. Hij haalde zijn handen uit de bodywarmer en stak de rechter in de lucht. 'Johan heeft zijn hand met een mes bewerkt, op bevel van Rony.'

Een rilling liep over Tims rug. Hij was blij dat hij had doorgevraagd, want nu leek Gilles zijn hart bij hem te willen uitstorten.

'Rony wilde zijn initialen in de hand van de man kerven, zodat hij hun afspraak niet meer zou vergeten. Dat is niet helemaal gelukt en volgens mij is die man half doodgebloed.'

'Zou mijn vader dat ook gedaan hebben?'

Gilles schudde zijn hoofd. 'Je kent je vader. Die was altijd heel rustig en kalm. Alleen als het echt niet anders kon, gebruikte hij geweld. Nee, Rony is een beest vergeleken met hem. Ik vraag me af of hij hier goed aan doet. Er zal een moment komen dat iemand het niet langer pikt.'

Gilles zuchtte diep en keek naar de vijver. 'Ik besefte zojuist pas hoe gevaarlijk Rony eigenlijk is. Hij zorgt koste wat kost dat hij zijn zin krijgt, hij deinst werkelijk nergens voor terug.'

Het was zo moeilijk voor te stellen. De man die pas nog met Tim over zijn dochter had gesproken, liet een paar dagen later iemands hand vernielen. Om een zakelijke kwestie. Tim was nog steeds overtuigd van Rony's oprechtheid die avond, maar hij was er net zo zeker van dat Rony een ijskoude was.

'Maar goed, we moeten maar proberen het zo snel mogelijk te vergeten.' Gilles schudde zijn hoofd. 'Vraag me er maar niet meer naar, oké?'

'Oké.' Tim knikte, al was hij er niet zeker van of hij zich daaraan ging houden.

'Kom, dan gaan we iets drinken. Ik heb chocolaatjes bij me, van mijn vrouw. Je krijgt de groeten van haar.'

Gilles sloeg zijn arm om Tim heen en samen liepen ze naar binnen.

6

Dinsdag was er al wat meer leven op school. Er vielen geen stiltes meer als hij passeerde en hij werd minder vaak nagekeken dan gisteren. Ook Sam had eindelijk weer veel te vertellen, onder andere over zijn nieuwe computer en het werkstuk over Napoleon. Het leek weer als vanouds, al zou het nooit meer zo worden. Zou Tim ooit gewend raken aan het idee dat zijn vader er niet meer was? Dat hij hem gewoon nooit meer zou zien? Nooit meer. Dat klonk zo vreemd en ongeloofwaardig. Tim had nog vaak het gevoel dat zijn vader elk moment achterom kon komen rijden, terug van een of ander zakencontact, en niet in een kist op het kerkhof lag.

Aan het eind van de lange dag liepen ze met z'n tweeën naar de fietsenstalling. Sam praatte honderduit over allerlei computertermen waar Tim de ballen verstand van had. Hij luisterde er met een half oor naar.

Aan de overkant van de straat stond een zilvergrijze Lexus geparkeerd. De auto viel vooral op door de donkere ramen, waardoor je niet naar binnen kon kijken. Een man in een grijs pak en een geel overhemd stond bij de auto en stak de straat over toen hij hen zag. Hij kwam hun kant uit.

'Tim Verdonkert?' informeerde hij.

Tim keek bevreemd op. Wat moest die man van hem?

'Er is hier iemand die je wil spreken.' De man gebaarde naar de auto.

Tim keek van de auto naar de man. Hij had hem nog nooit gezien. Sam staarde de man met een mengeling van wantrouwen en nieuwsgierigheid aan.

'Wees niet bang, als je niet wilt hoeft het niet. Maar de aanbieding is eenmalig. Het gaat over je vader.' De man keek hem aan met een blik van 'je moet zelf kiezen, maar ik zou het wel weten'.

'Wie is het?' Tim was toch wel nieuwsgierig.

'Meneer Haashout, als de naam je iets zegt.'

Het leek net of er een grote ballon in zijn buik zat die werd lek geprikt. Pieter Haashout? Wilde Pieter Haashout hem spreken? De grote concurrent van zijn vader. Tim keek met een verdoofd gevoel naar de Lexus. Waarom? Wat had Haashout met hem te bespreken? Hij dacht eventjes aan Gilles en zijn moeder. Hij had hun vragen gesteld, maar het antwoord niet of nauwelijks gekregen. Begrepen ze dan niet dat hij wilde weten wat er aan de hand was? Wat de reden was van zijn vaders dood? Waarom iemand het recht had genomen om zijn vader uit het leven weg te rukken?

Als ze dat begrepen, hadden ze hem toch antwoord kunnen geven? Of hem dingen verteld? Maar dat hadden ze niet gedaan. Tim had nog steeds het gevoel dat hij overal buiten gehouden werd.

'Als het kan, zou ik graag vandaag nog een beslissing horen,' spoorde de man hem aan.

Tim wendde zich tot Sam. 'Ik ga met hem mee.' Hij stapte vastberaden van zijn fiets af en zette die tegen een boom.

Sam knikte sprakeloos en keek Tim na terwijl die naar de auto liep.

De man opende de achterste portier voor hem en Tim schoof op de achterbank. Daar zat de man die hij op zijn vaders begrafenis had gezien. Pieter Haashout. Van zijn eeuwig verbaasde gezicht was weinig over. Zijn ogen namen Tim fel in zich op.

'Dag Tim.' Hij gebaarde de chauffeur dat hij kon starten. De man die hem had opgewacht, zat naast de chauffeur. 'Fijn dat je gekomen bent.'

Tim kreeg gelijk spijt van zijn beslissing. Hij had nooit in moeten stappen. Een paar avonden geleden had Rony hem nog gewaarschuwd voor mensen als Haashout. En nu stapte Tim vrijwillig bij hem in de auto. Rony had gelijk, besefte Tim. Hij leek inderdaad op zijn vader. Die had ook veel risico's genomen in zijn leven. Al was het wel heel roekeloos om op de achterbank van een concurrerende topcrimineel te kruipen.

Maar kon hij Rony dan wel vertrouwen? Na wat hij gisteren van Gilles gehoord had, twijfelde hij heel sterk aan Rony's oprechtheid. In het gesprek dat ze over zijn dochter hadden, was Rony bijna emotioneel geworden. Maar een paar dagen later liet hij vrolijk in andermans hand hakken. Tim begon aan steeds meer mensen te twijfelen.

'Ik zal maar niet vragen hoe het met je gaat, al wens ik je alle sterkte toe. De afgelopen dagen heb ik ernstig nagedacht. Ik weet dat Anthonie zijn best heeft gedaan je buiten onze wereld te houden, maar toch heb ik besloten om je uit te nodigen voor een gesprek.'

De auto reed de straat uit. Haashout keek kalm voor zich uit. Hij had de situatie helemaal onder controle. Maar de rust die hij uitstraalde sloeg niet over op Tim. Hij voelde zich nog steeds erg slecht op zijn gemak. Op de een of andere manier kon hij het beeld van een klaarstaande cementmolen langs de kade in de haven niet van zich afzetten.

'Om te beginnen ga ik je wat vertellen over mijn connecties met je vader.' Haashout keek hem aan. 'Zoals je vast wel weet, konden wij het niet goed met elkaar vinden. Maar ik zal je eerlijk bekennen – en wat je ermee doet moet je zelf weten – dat ik met zijn dood helemaal niets te maken heb.' Hij stak zijn handen afwerend in de lucht. 'Je hoeft me niet te geloven, hoor.' Haashout wreef even over zijn arm. 'Je vader kende ik als een zeer moeilijke man. Een onmogelijk iemand, die een enorm imperium had opgebouwd. Waar veel van ons de fout in zijn gegaan met harddrugs, zoals heroïne, cocaïne en chemodrugs, beperkte hij zich tot softdrugs. Voor zover ik weet, heeft hij nooit anders gedaan. En hij is er steenrijk van geworden. Dat succes was te danken aan die beperking. Door je helemaal te concentreren op één onderwerp, kun je er het beste van maken. Vergelijk het maar met een werkstuk dat je voor school moet maken.'

Tim moest meteen aan Napoleon denken.

'Ik ben eerlijk als ik zeg dat ik je vader bewonderde. Met zijn manier van werken verwierf hij veel ontzag. Niet alleen bij mij, maar het succes maakte je vader tot een arrogante concurrent. Hij was zo gewild vanwege de kwaliteit van zijn spul. Iedereen die er eenmaal van gesnoept had, wilde niets anders meer. En je weet wat dat betekent. Er zijn veel mensen die wel houden van een lekker blowtje. Er wordt heel wat afgetript in Nederland en jouw vader had daarin een dikke vinger in de pap. Doordat veel mensen van hem kochten, lag de prijs nog gunstig ook.'

Dit was allemaal niet nieuw voor Tim. Hij had het al eerder gehoord. Wat wilde die Haashout nou eigenlijk van hem? Zo langzamerhand begon hij hem toch te knijpen. Was dat gesprek een afleidingsmanoeuvre? Waren ze iets met hem van plan en wilde Haashout hem onderweg zoet houden zodat hij geen andere weggebruikers kon waarschuwen of uit kon stappen?

'Je vader importeerde duizenden kilo's per jaar uit Hyderabad, in Pakistan. Hoe hij dat deed, weet ik niet. Waar die drugsboer-derijen zitten, is me nog steeds onduidelijk. Waarschijnlijk zijn die assistent van je vader, die Rony, en je moeder de enigen die dat weten. En dat is de oorzaak van mijn conflict met je vader. Hij wilde niet delen.'

Waar ging dit over? dacht Tim. Delen! Die man had het over delen, zoals kinderen die niet eerlijk hun snoepjes delen. Maar dit ging niet over snoep, dit waren drugs!

Haashout zweeg een moment en loerde in zijn richting. Het was net of hij wachtte tot Tim iets ging zeggen, maar Tim had niets te zeggen. Hij keek zwijgend naar de hoofdsteun voor hem. Ondertussen gleed zijn hand naar het portier van de Lexus. Hoe ver moest hij die openen om erachter te komen of er een kinderslot op zat? Want als dat zo was, was het echt goed mis...

Haashout ging snel weer verder. 'Ik ben zelf geen kleine jongen in Amsterdam, als ik mezelf zo mag noemen. Ik beschik over uitstekende smokkelroutes. Ik heb bovendien een aantal belangrijke mensen in mijn zak.' Haashout keek somber voor zich uit. 'Vandaar dat ik na begon te denken over een voorstel. Het is in deze wereld moeilijk om je hoofd boven water te houden, zeker met jongere generaties die hun kans afwachten om een plaatsje te veroveren.'

De auto volgde bordjes die naar de snelweg leidden. Tim durfde geen kracht te zetten, bang dat er geen kinderslot op zat en het portier midden op de weg openklapte. Het zweet brak hem uit. Hij was lang genoeg rustig gebleven.

'Daarom wilde ik mijn smokkelroutes combineren met een goede drugslijn. De lijn van je vader leek me daar uiterst geschikt voor.' Hij keek Tim schuin aan. 'Moet je raden wat er gebeurde.'

'U deed mijn vader een voorstel?' was het enige wat Tim kon bedenken. Hoewel hij er nog steeds spijt van had dat hij was ingestapt, had het gesprek misschien toch wel zin. Op de een of andere manier wist Haashout heel veel. Ook al hield Tim er een dubbel gevoel aan over. Wie garandeerde dat hij straks uit deze auto stapte en nog wat aan die informatie had? Hij moest zijn best doen om zijn stem niet te laten trillen. Haashout mocht niet zien hoe bang hij voor hem was.

Haashout knikte somber. 'Ja, ik stelde hem voor om samen te

werken. En hij lachte me recht in mijn gezicht uit.' Haashout klonk verbitterd. 'Daarop is onze ruzie gebaseerd. Ik weet dat hij je vader was, maar ik zag hem vanaf dat moment als een hufter. Een verdomd slimme hufter, dat wel.'

'En u weet zeker dat u hem niet hebt laten vermoorden?'

Tim stond van zichzelf te kijken dat hij dat durfde te zeggen. Haashout had net nog ontkend iets met de moord te maken te hebben.

Maar Haashout negeerde de vraag en ging verder. 'Nu je moeder aan het roer staat...'

'Rony staat aan het roer,' onderbrak Tim hem. Hij moest denken aan het gesprek met Rony. *Weet je, Tim? Het is geen kunst om in deze wereld terecht te komen. Maar wel om eruit te stappen.* Haashout moest niet denken dat zijn moeder ergens mee te maken had. 'Mijn moeder niet.'

'Goed, nu Rony aan het roer staat,' ging Haashout verder, 'kan ik het wel schudden. Die denkt er niet over om samen te werken. Hij heeft heel andere plannen met de organisatie. Volgens mij is dat tegen Anthonies wil. Dat is ook een reden waarom ik je uitnodigde voor dit gesprek.' Zijn ogen fonkelden mysterieus. Inmiddels zaten ze op de snelweg en reden ze een rondje om Amsterdam. Het zag er nog niet naar uit dat Haashout een eindbestemming in gedachten had. Ze reden zomaar wat doelloos in het rond. Hoe lang zou het duren voor de auto langs de kant van de weg tot stilstand kwam en er een pistool tevoorschijn werd getrokken?

Hij stuurt er toch niet opaan dat ik het aan Rony ga vragen? vroeg Tim zich af. Ik bemoei me nergens mee. Ik wil alleen maar uitstappen en terug naar huis. Desnoods lopend.

'Misschien zou het een oplossing zijn als ik wat meer te weten kom,' zei Haashout met een glad glimlachje. 'Ik bedoel, het zou handig zijn om alsnog te weten te komen waar die drugs vandaan komen. Dan kan ik mijn plan erop aanpassen en misschien nog eens met Rony en je moeder om de tafel. Ik heb zo'n idee dat dat voor beide partijen in het voordeel gaat werken. Ik denk zelfs dat je vader dat ook graag had gewild...'

'Wat wilt u van me?' vroeg Tim. Zijn stem sloeg over. Zijn hand lag nog steeds om het handvat van zijn portier, klaar om die open te duwen.

'Informatie,' zei Haashout. 'Een klein beetje informatie. Je moet het me alleen vertellen als je het echt weet, anders heb ik er toch niets aan.'

'Ik weet niets,' zei Tim. 'Mijn vader heeft me altijd buiten zijn zaken gehouden.'

Haashout keek hem lang aan. De vriendelijkheid was uit zijn ogen gegleden. Zat hij nu te twijfelen over wat hij met hem ging doen? Liep hij echt gevaar?

'Goed,' zei Haashout kil. 'Jij weet niets, hè? Dus ook niets over Pakistan?'

Tim schudde zijn hoofd. Hij wist echt niets. Waarom geloofde Haashout hem niet? Ik tel tot tien, nam hij zichzelf voor, en dan gooi ik die deur open. Het kan me geen barst schelen of ik daarmee een andere auto beschadig. Eén...

'Je hebt nooit een naam gehoord? Een achternaam, misschien? Of de naam van een streek of stad in een ver land? Nooit?'

Denkt hij soms dat ik niets beters te doen heb? 'Nee, ik heb niets gehoord. En als ik al iets vreemds hoor, probeer ik het zo snel mogelijk van me af te zetten.' Twee...

'Bijzonder spijtig,' zei Haashout. Hij kuchte en probeerde zijn stem weer onder controle te krijgen. Drie...

Tim keek naar de twee mannen voorin. Hij zag dat de man naast de bestuurder hem via het spiegeltje in de gaten hield. Een van zijn handen lag op zijn schoot, de ander was onder zijn jas gestoken. Wat hield hij daar vast...? Vier...

'Als je vader er nog was geweest, had ik hem dat voorstel alsnog willen doen,' legde Haashout uit. 'Ik weet nog niet precies hoe. Daarom wil ik graag weten waar in Pakistan zijn contacten zitten. Snap je dat?'

Vijf... Zes... Nee, ik snap er niets van. Hij zweeg.

Ondertussen raasde de auto door. Het is veel te gevaarlijk om er hier uit te springen, flitste het door Tims hoofd. Zeven...

De ogen van Haashout priemden in de zijne. Haashout was niet blij met hem. Die had natuurlijk gehoopt om zelf een slaatje uit dit gesprek te slaan, om meer te weten te komen. En het was hem niet gelukt. Hij had moeite om zijn vriendelijkheid te bewaren. Acht...

'Ik weet niet met wie je thuis allemaal hebt gesproken,' zei hij. 'Je moeder zal je ongetwijfeld gewaarschuwd hebben, die chauffeur van jullie, misschien nog wat ander personeel. En Rony...'

Negen...

Hij spande de spieren in zijn lichaam, klaar om zichzelf te lanceren... Tien...

'Ik wil je waarschuwen voor Rony Atkinson,' zei Haashout, zachter dan hij zojuist had gesproken.

Tien, dreunde het nog na in Tims hoofd, maar hij bleef zitten. Rony? Waarschuwen?

'Ik heb hem een hele tijd geleden leren kennen, toen ik nog redelijk met je vader op kon schieten. Sindsdien ben ik hem altijd een beetje in de gaten blijven houden. Dat moet je doen in deze wereld. Ken je vijanden. Ik ben veel te weten gekomen. Atkinson is een gevaarlijke man. Hij is halverwege de veertig en dus ervaren genoeg om de kneepjes van het vak te kennen en jong genoeg om het nog een poosje vol te houden. Bovendien is hij zo glad als een aal. Als je alleen al naar zijn strafblad kijkt, gaan je nekharen overeind staan. Op de een of andere manier glipt hij keer op keer tussen de mazen van het net door.'

Behalve in Engeland, dacht Tim. Waarom veranderde Haashout nu ineens van onderwerp? Was hij bang teveel van zijn plannen te verraden? Waarschuwen voor Rony! Alsof dat nog nodig was na Gilles' verhaal. Rony hakte er rustig op los als iets hem niet naar de zin was. Hij deinsde – zoals Gilles had gezegd – inderdaad nergens voor terug.

'Atkinson is een man zonder scrupules,' zei Haashout.

Tim liet zijn greep om de deurknop wat verzwakken, terwijl Haashout verder vertelde.

'Hij gaat en staat waar hij wil, zal alles in het werk stellen om zijn doel te bereiken. Nu hij aan het hoofd staat van je vaders organisatie, is hij alleen maar machtiger. Mensen die ik ken zijn bang voor hem. Mensen als ik. Ik zelf ook.'

Het viel Haashout kennelijk zwaar om toe te geven dat hij bang voor iemand was, want hij sloeg zijn ogen neer.

'U had het net over Rony en dat hij heel andere plannen had,' hielp Tim hem herinneren. 'Plannen waar mijn vader het niet mee eens was.' Hij was stiekem nog steeds geïnteresseerd in wat Haashout te vertellen had. Als hij dit zou overleven, kreeg hij zo'n kans nooit meer.

Haashout knikte. 'Ja. Dat gaat nog steeds over die drugs. Zoals ik vertelde haalde Anthonie zijn spul uit Pakistan. Ik weet dat hij en Rony hebben nagedacht over andere mogelijkheden in verband met de mogelijke legalisatie van softdrugs. Volg je het nieuws?'

'Een beetje.'

'Dan heb je vast wel gelezen dat er in de Tweede Kamer steeds meer voorstanders zijn van het legaliseren van softdrugs. Er is grote kans dat softdrugs, dus cannabis en alles wat daar bij hoort, binnenkort niet meer verboden zijn.'

Tim knikte. Daar had hij inderdaad wel eens over gehoord.

'Vooral Rony zocht naar een manier om het goedkoper te kunnen doen. Hij en Anthonie hebben daar veel over gesproken, maar import uit Pakistan leek nog altijd het beste. Tot Rony met het voorstel kwam om zelf te gaan kweken. Misschien ken je het wel, nederwiet heet dat. Marihuana die in Nederland vervaardigd is.'

'Wat gebeurde er toen?' Tim moest denken aan de ontelbare ruzies die thuis waren geweest, de laatste weken voor zijn vaders dood. Had dat hiermee te maken?

'Er ontstond een conflict. Rony was er helemaal voor om zelf te gaan kweken, maar je vader... dat is een ander verhaal.'

'Wilde hij het niet?'

'Absoluut niet. Hij kreeg juist zulke goede kwaliteit van de Pakistani. Zijn drugs zijn nog steeds een topproduct. Door het zelf te gaan maken en zijn lijn met Pakistan te stoppen, zou hij zijn eigen graf graven.' Haashout schrok zelf van zijn opmerking en maakte een verontschuldigend gebaar. 'Sorry, zo was het niet bedoeld.'

Tim negeerde het.

'In ieder geval wilde Rony wel doorzetten. Hij was zelfs bezig om een kwekerij op te kopen. Alvast voor het geval de legalisatie rondkwam. Hij was erdoor geobsedeerd.' Haashout zuchtte. 'Als hij zijn zin doorzet, weet ik zeker dat Anthonie zich in zijn graf omdraait.'

Als dat echt zo was, hadden al die ruzies thuis vast daarmee te maken, dacht Tim. Zijn vader en Rony lagen in de clinch. Rony wilde iets anders dan zijn vader, maar kon zijn zin niet doordrukken omdat zijn vader nog steeds de baas was. Tenzij... Hij kreeg een raar gevoel in zijn buik. Had Rony zijn vader...?

De chauffeur reed de snelweg af en al snel gingen ze weer richting het centrum. Tim kon zich eindelijk wat meer ontspannen.

Was Haashout dan toch niets met hem van plan? Wilde hij alleen een goed gesprek en dat kleine beetje informatie dat Tim hem niet had kunnen geven?

'Vandaar dat ik je uitnodigde voor dit gesprek, Tim. Ik vond dat ik je moest waarschuwen voor hem. Daarom stelde ik je ook die vraag over zijn contacten in Pakistan. Dus als je nog iets hoort, of als je toch iets te binnenschiet, bel me dan op dit nummer.' Hij stak hem een kaartje toe.

Tim stak het kaartje nonchalant weg. Haashout wilde dus nog steeds die informatie hebben. Het gesprek had een dubbele bedoeling. Haashout wilde er zelf beter van worden. Zogenaamd om nog eens met Rony om de tafel te kunnen gaan, maar Tim wist wel beter. Haashout wilde die drugslijn voor Rony's neus wegkapen. Mooi niet dat Tim hem ging helpen. Zijn vader zou zich inderdaad in zijn graf omdraaien.

'U hoeft me niet te waarschuwen,' zei hij. 'Ik heb sowieso weinig met Rony te maken. Bovendien is hij bezorgd om me na de dood van mijn vader.'

Haashout keek hem aan alsof hij niet goed snik was. 'Bezorgd? Rony Atkinson?' Hij schudde zijn hoofd. 'Nee Tim, daar geloof ik helemaal niks van. Ik weet niet wat hij heeft gezegd, maar in onze wereld weet iedereen dat Rony altijd zijn kans heeft afgewacht om je vaders organisatie over te nemen. En dat moment is nu gekomen.'

De auto reed de straat van zijn school in.

'Het zal me – en laat dit gesprek alsjeblieft tussen ons blijven – niets verbazen als hij er meer van weet...'

Die opmerking sloeg opnieuw in als een bom. Waren zijn vermoedens juist? Had Rony meer te maken met de dood van zijn vader? Tim kon het zich niet voorstellen. Ze waren al jaren bevriend. Zijn vader hielp Rony zelfs met zoeken naar zijn dochter in Engeland. Maar toch, al die ruzies...

De Lexus was tot stilstand gekomen. De man naast de chauffeur stapte uit en liep om de auto heen.

'Tim Verdonkert,' zei Haashout en hij schudde Tims hand, 'pas goed op jezelf. Ik vond het fijn je gesproken te hebben. Het beste. Ik hoop nog eens wat van je te horen.'

Daarop ging het portier open. Tim stapte uit, wisselde een korte blik met de man en keek toe hoe die weer instapte. De auto reed geruisloos de straat uit en verdween om de hoek.

7

'Hij heeft jou opgewacht?' Gilles keek Tim niet begrijpend aan.
'Hoe bedoel je dat?'
Tim haalde zijn schouders op. 'Zoals ik het zeg. Ik wilde met Sam naar huis fietsen. Er stond een auto te wachten en een man kwam op me af. Die nam me mee naar de auto en daar zat Haashout.'
'Ben je helemaal op je achterhoofd gevallen?!' tierde Gilles. 'Besef je wel met wie je in gesprek bent geweest?'
'Sorry hoor!' riep Tim uit. 'Ik heb er niet om gevraagd! Vraag het maar aan Sam, als je me niet gelooft! Hij was erbij toen die man me kwam halen.'
Tim zette kwaad zijn fiets in de garage. Gilles bleef bij de auto staan. Het was tegen vijf uur. In de tuin was verder niemand. Rony en zijn moeder waren binnen.
'Je weet zeker dat je zelf niet erg nieuwsgierig was?'
'Wil je zeggen dat ik hem heb opgezocht? Nou, bedankt Gilles.' Tim draaide zich boos om. Wat dacht Gilles wel? Hij had doodsangsten uitgestaan in die auto! 'Haashout neemt me tenminste wel serieus!' riep hij over zijn schouder en liep in de richting van de achterdeur.
'Ho, wacht even, Tim.' Gilles schudde zijn hoofd en sloeg een vriendelijker toon aan. 'Zo bedoelde ik het niet. Haashout is fout geweest, jij niet. Hij had je nooit voor die keuze mogen stellen.'
'Haashout *stelt* me in ieder geval voor een keuze! Ik krijg hier nooit iets te horen. Jullie snappen er geen barst van. Ik wil weten wat er aan de hand is! Mijn vader is dood en ik weet niet eens waarom!' Hij zuchtte diep en liet zijn schouders hangen. 'Haashout gaf me een kans.'

'Een kans?' riep Gilles verbaasd. 'Een kans waarvoor, in hemelsnaam? Om je neus in deze troep te steken, soms? Nee, Tim, wij vertellen je inderdaad niets. Voor je eigen bestwil.'

'Haashout wilde me alleen maar waarschuwen,' flapte hij eruit. Gilles keek hem onderzoekend aan. Hij had argwaan. 'Waarvoor wilde hij je waarschuwen?'

Tim zocht snel naar een antwoord. 'Voor dít,' zei hij. 'Voor mensen die mijn vader haatten.' Hij verzon maar wat. Het was beter als hij Rony niet noemde. Hoe minder mensen daarvan wisten, hoe beter. Bovendien wist hij zelf nog niet wat hij daarmee wilde. Wat nu als Haashout gelijk had en Rony inderdaad…

'Wat zei hij allemaal?'

'Van alles. Over papa. Over drugs uit Pakistan en het probleem tussen papa en hem.'

'Hm. Als je moeder dit hoort…' Gilles was er duidelijk niet blij mee dat iemand Tim van zoveel op de hoogte had gebracht. 'Wat heeft hij je precies verteld over dat conflict?'

'Dat Haashout met papa wilde samenwerken, maar dat papa dat niet wilde. Volgens Haashout zouden ze samen een goed team vormen. Papa drugs uit Pakistan en hij goede smokkelroutes.' Hij vertelde er maar niet bij dat Haashout hem had gevraagd om de locatie in Pakistan te noemen.

Gilles knikte. 'Dan heeft hij in ieder geval niet gelogen,' mompelde hij.

'Ik wil er echt helemaal niks mee te maken hebben, Gilles,' zei Tim. 'Maar ik heb wel mijn vragen. Ik wil weten wie papa vermoord heeft. Ik wil weten waarom iemand hem van me heeft afgepakt.'

'Dat willen we allemaal, Tim.' Gilles staarde grimmig naar de hemel. 'Kom, we gaan een hapje eten.'

Ze stapten in de zwarte Mercedes. Gilles reed de auto achteruit het erf af. Ze gingen richting het centrum, sloegen toch de snelweg op en bij het industrieterrein reed Gilles het parkeerterrein van McDonalds op. Binnen bestelde hij twee keer hetzelfde menu.

Ze zochten een plekje achterin, vlak bij de verlaten ballenbak, met uitzicht op de snelweg.

'Luister, Tim,' zei Gilles terwijl hij zijn hamburger uitpakte. 'Pieter Haashout heeft je waarschijnlijk van alles gezegd, maar niet alles wat zulke mensen vertellen hoeft waar te zijn.' Hij kuchte. 'Er is tenslotte kans dat de moord door hem geregeld is. Ik geef toe dat die kans niet groot is, maar wat ik duidelijk wil maken is dat mensen je misschien proberen te manipuleren om de schuld van zich af te schuiven. Ze zeggen dit niet zomaar. Mensen als Haashout verwachten altijd iets terug.'

'Zou Haashout hem vermoord kunnen hebben vanwege het voorstel dat papa afkeurde?'

'Hij heeft je dus niet alles verteld.' Gilles knikte bedenkelijk.

Tim zuchtte. 'En dat ga jij natuurlijk ook niet doen...'

'Je snapt toch wel waarom ik je er niets over vertel, Tim?'

'Omdat mijn vader me buiten alles wilde houden,' zei Tim.

'Ja, precies,' zei Gilles. 'Je vader vond het belangrijk dat jij een zo gewoon mogelijke opvoeding zou krijgen. We houden je er niet buiten omdat we denken dat het je niets aangaat, of omdat het je niet interesseert. We doen het om je te beschermen. Net als je vader.'

'Mijn vader is dood,' zei Tim. Hij had de woorden nog nooit zo verbitterd uitgesproken en schrok er zelf van. Hij herstelde zich. 'Mijn vader is er niet meer. Hij kan me niet meer beschermen. Ik wil weten waarom niet. En jullie willen me daar niet bij helpen. Denk je dat ik erop zit te wachten om in de problemen te komen? Ik hoef die dingen echt niet te weten omdat ik het allemaal zo interessant en spannend vind. Ik wil het weten om papa. Alleen daarom.'

Gilles speelde met een frietje en zuchtte. 'Je hebt gelijk,' zei hij. 'Ik heb mijn vader niet op zo'n tragische manier verloren, maar weet hoe het is om een dierbare te verliezen. We moeten je niet overal buiten houden. Maar er zijn wel grenzen.'

'Natuurlijk zijn die er,' zei Tim. 'Ik hoef ook niet alles te weten. Maar wel over Haashout. Hoe zit dat met dat voorstel?'

Gilles keek hem bedenkelijk aan, maar begon toch te praten. 'Als Haashout je heeft verteld dat hij Anthonie haatte om dat voorstel, heeft hij het een en ander verzwegen. Dat voorstel was niet waar hij het zwaarst aan tilde. Ik weet niet zo goed hoe ik het moet zeggen, omdat ik je vader altijd graag gemogen heb en ik jouw beeld van hem niet wil aantasten. Je moet begrijpen dat het in deze wereld hard knokken is…'

'Vertel het nou maar.'

'Haashout heeft gelijk wat dat voorstel betreft. Hij wilde met Anthonie in zee. Anthonie zou de drugs uit Pakistan halen en Haashout zou de transporten verzorgen met zijn smokkelroutes. Ondanks de grote hoeveelheid marihuana die in Nederland aankomt, wordt minstens twintig procent door de politie onderschept. Dat gebeurt nog steeds. Behalve bij Haashout.'

'Vanwege zijn smokkelroutes?'

Gilles nam een hap van zijn hamburger en knikte. 'Precies. Haashout betaalt hier en daar wat en mensen knijpen dan een oogje dicht. Als één iemand dat doet maakt dat niet zoveel uit, een grammetje meer of minder. Maar als hele organisaties dat doen, wordt het gekker. Haashout kreeg het voor elkaar om vrijwel honderd procent doorgang te hebben.'

'Waarom wilde papa dan niet met hem samenwerken?'

'In eerste instantie zag hij het nut er niet van in. Hij zou er twintig procent mee opschieten, maar de totale opbrengst moeten delen. Dat zou tot een verlies van dertig procent leiden. Maar goed, vergeet die som. Je vader deed namelijk iets waar

Haashout niet blij mee was.' Gilles nam een slok van zijn cola.

Tim kreeg geen hap meer door zijn keel.

'Hij heeft – om het maar gelijk samen te vatten – een aantal smokkelroutes van Haashout laten uitzoeken en is die zelf gaan gebruiken. Gevolg, betere doorgang en geen samenwerking.'

'Heeft hij Haashout belazerd?' Het gesprek met Haashout kwam weer terug. Ineens begreep hij waarom Haashout achter de contacten in Pakistan probeerde te komen. Hij wilde op zijn beurt gewoon hetzelfde doen als Anthonie en hem belazeren.

'Als je het zo wilt noemen, ja. Anthonie noemde het "zaken doen".'

Tim wist dat zijn vader soms erg ver ging, maar dat hij zoiets had gedaan had Tim nooit verwacht. Een vreemd gevoel prikkelde in zijn hoofd. Dit was een vader die hij niet kende.

'Heeft Haashout je nog meer verteld?' wilde Gilles weten.

'Nee, dat was het wel zo'n beetje.'

'Had hij het niet over een mogelijke dader?'

Tim begon te twijfelen. Hij vertrouwde Gilles voor honderd procent, maar hij wist niet of hij er verstandig aan deed te vertellen dat Haashout Rony als mogelijke dader zag. Hij wist niet wat Gilles met die informatie zou doen. Straks zou Rony iets gaan vermoeden...

Eerlijk gezegd wist Tim het zelf ook nog niet zo goed. Zou Rony echt in staat zijn om een vriend – met wie hij ruim achttien jaar samenwerkte – te vermoorden? De vraag bleef hem dwars zitten. Hij kon er geen passend antwoord op geven.

'Als je wilt, zal ik je nog iets vertellen,' zei Gilles na een moment van twijfel. Hij krabde zich op zijn achterhoofd. Dat deed hij altijd als hij nerveus was, wist Tim. 'Iets wat je moeder, Rony en ik weten. Het gaat over de dader.'

Tim keek hem afwachtend aan.

'We weten niet wie het is,' legde Gilles uit, 'laat ik dat voorop stellen. Maar we weten wel in welke richting we moeten zoeken.'

'We?'

Gilles maakte een afwegend gebaar. 'Niet "we", maar de politie. Je weet wel wat ik bedoel.'

'Welke richting is dat?'

'Ik vind het erg spijtig, maar ik moet je opnieuw een minder leuk verhaal over je vader vertellen. Dit keer gaat het om een aantal Kroaten.'

Kroaten speelden een steeds grotere rol binnen de Nederlandse onderwereld, wist Tim. Hij hoorde wel vaker dat ze hard en meedogenloos waren en een grote plek innamen in het Amsterdamse circuit. Langzaam maar zeker kwamen ze meer naar de voorgrond.

'Er zijn veel Kroaten in onze wereld. Zulke buitenlandse stromingen hebben we vaker gehad. Een jaar of twintig terug waren er de Turken met hun sigaretten, een paar jaar later de Chinezen met illegale casino's en gokactiviteiten en nu zijn er dan de Kroaten, eigenlijk voormalig Joegoslaven. Zij richten zich op dezelfde activiteiten als de Nederlanders, drugshandel. Voorheen hadden de Nederlanders weinig problemen met de Turken en Chinezen. Zij hielden zich aan de afspraken en overschreden geen grenzen. Bij de Kroaten ligt dat iets anders.'

Tim dronk van zijn cola. De stukjes kip liet hij onaangeroerd in het bakje liggen.

'Veel van hen zijn vanwege armoede naar Nederland gekomen en hadden het dus niet zo breed. Vandaar dat ze soms nogal gewelddadig hun intrek namen. En daarbij hebben ze je vader op zijn tenen getrapt.'

'Wat hebben ze gedaan?'

'Je vader verkocht een groot aandeel van zijn drugs aan het

hotelwezen in de Randstad. Via portiers of liftboys die een extraatje willen verdienen. Dat liep allemaal op rolletjes. Totdat de Kroaten die handel overnamen. Eigenlijk is er maar één Kroaat geweest die voor een conflict zorgde tussen de Kroatische onderwereld en je vader. Zijn naam is Zorjan Vilsjic.' Gilles veegde met een servetje zijn mond af en schoof de etensresten op het dienblad. 'Vilsjic wist dat je vader de controle had over de handel in hotels. Toch ging hij de confrontatie aan en probeerde hij zijn eigen drugs via hotels te verkopen. Je vader heeft pogingen gedaan om het bij te leggen.' Gilles dacht even na. 'Geen van de gesprekken heeft ooit bij jullie thuis plaatsgevonden, geloof ik. Ik heb hem vaak naar louche café's en restaurants gereden in het centrum. Je vader ging er nooit heen zonder kogelvrij vest en Johan en Pim, zijn lijfwachten.'

Pim was een voormalig lijfwacht van zijn vader, wist Tim. Hij was zelf nog op zijn begrafenis geweest, zo'n vier jaar geleden. Pim was op een kwade dag in stukken gehakt, in een vat met beton gestort en een week of wat later teruggevonden in de Lek.

'Op een dag liep het uit de hand. De Kroaten hebben contacten bij de politie. De meeste agenten ontlopen hen zoveel mogelijk. Niemand wil met ze te maken hebben. Maar sommige politiemensen worden door de Kroaten gedwongen en afgeperst. Het komt zelden voor dat ze zich echt laten omkopen. Maar goed – op een dag ging het mis.'

Gilles knikte goedkeurend en zocht naar woorden om zijn verhaal af te maken. Tim wachtte gespannen af. Hij voelde dat zijn hart sneller was gaan kloppen door het verhaal. Hij kreeg dingen te horen over zijn vader die hem eigenlijk helemaal niet bevielen.

'Je vader had een ontmoeting in een restaurant, met Vilsjic.

Aan de telefoon klonk Vilsjic enthousiast. Hij legde zich bij Anthonies besluit neer en had ter compromis de perfecte oplossing bedacht, een of andere grote klant in Servië. Die zou bij de ontmoeting aanwezig zijn en wilde drugs van Anthonie beoordelen om mogelijk een deal te sluiten. Anthonie moest een proefpakketje hasj meenemen. Je kunt wel raden wat er verder gebeurde.'

Tim knikte. Hoewel hij die Vilsjic nog nooit had gezien, vertrouwde hij hem voor geen cent. Niemand legde zich zomaar bij een besluit neer. Pieter Haashout deed dat ook niet. Niet in deze wereld. 'Mijn vader werd in de val gelokt.'

'Inderdaad. Achteraf vraag ik me af hoe die Kroaat het voor elkaar kreeg, maar je vader nam drugs mee. Alleen zat er geen Serviër met een deal op hem te wachten, maar een rechercheur met een aanhoudingsbevel. Heel toevallig was dat ook rechercheur Grindbudel.'

Tim moest onwillekeurig glimlachen om het toeval. Vandaar dat rechercheur Grindbudel niet zo enthousiast met de zaak bezig was als zijn jonge collega. De ongeïnteresseerde houding van de rechercheur stond hem nog goed voor de geest. De moord op een crimineel oplossen die hij eerder had opgepakt. Hij had wel wat beters te doen!

'Je vader werd opgepakt en meegenomen voor verhoor. Het scheelde niet veel of hij zou voor vier jaar in de gevangenis zijn verdwenen.'

Tim kon zich vaag iets van die rechtszaak herinneren. Het was al een paar jaar geleden en zijn vader had hem er nooit openhartig over verteld. Tim wist toen niet anders dan dat 'papa een tijdje van huis was'. Nu de ware toedracht daarvan tot hem doordrong, kreeg hij een droge keel. Deze middag zou hem nog lang bijblijven. In een paar uur tijd had hij de andere Anthonie Verdonkert leren kennen.

'De rechter sprak hem echter vrij. Desondanks was je vader natuurlijk nog steeds des duivels. Vervolgens heeft hij de Kroaat een koekje van eigen deeg gegeven. Wekenlang heeft hij hem laten volgen. Al snel werd duidelijk dat de Kroaat elke zaterdagavond in een discotheek te vinden was, waar hij met zijn eigen mensen pokerde, soms tot zondagochtend aan toe. De Kroaat parkeerde zijn auto altijd op het parkeerterrein bij de artiesteningang. Op een goede avond ging Anthonie met zijn jongens op pad. Ik weet het nog goed, want hij wilde er deze keer graag zelf bij zijn. Ze hebben om drie uur 's nachts de auto van de Kroaat opengebroken en hem volgestopt met drugs. Anthonies eigen drugs. Zijn stempel stond er in feite nog op. Je vader heeft zelf de politie getipt. De Kroaat kreeg zeven jaar gevangenisstraf en in de gevangenis werd het leven hem goed zuur gemaakt door mannetjes van je vader die daar ook zaten.'

Tim slikte. Dat zijn vader zo'n wraakactie had gepleegd kwam wel erg hard aan. Hij vroeg zich opnieuw af of hij er goed aan had gedaan. Wilde hij dit allemaal wel weten? Had hij niet moeten stoppen en de zaak aan de politie moeten overlaten? Aan zijn moeder en Rony?

'Dat was een zwaar verlies voor de Kroaten. Je vader heeft zijn eigen drugs met opzet gebruikt. De politie weet daar verder niks van, maar de Kroaten wisten genoeg. Anthonie was er zo een die je beter niet in de weg zat. Op zich niet erg dat ze daar zo over dachten. Maar het leidde tot angst. En zoals je ongetwijfeld weet leidt angst weer tot haat...'

Gilles zette zijn bekertje op het dienblad. 'Dat is waarom wij denken dat de Kroatische onderwereld achter de aanslag steekt.' Hij stak verwerend zijn handen op. 'Maar pin me er niet op vast. Wij denken het alleen maar. De detectives van je moeder en Rony zijn ook bezig om het een en ander uit te zoeken, wat uitsluitsel moet geven.'

Tim keek star voor zich uit. Hij wist dat zijn moeder haar eigen mensen had die ze tegen betaling zaken liet uitzoeken. Ook nu waren die louche types weer opgetrommeld. De politie was dan wel met de zaak bezig, soms gaat het sneller als je je niet aan allerlei regels hoeft te houden.

Tim dacht aan zijn vader. Als hij al die verhalen moest geloven – waar hij nota bene zelf om had gevraagd – was zijn vader niet de meest makkelijke persoon geweest. Ergens had hij zijn dood misschien wel zelf uitgelokt.

Die conclusie viel hem zwaar.

'Dit was het laatste wat ik je verteld heb. Je weet nu hoe de situatie eruitziet. Ik ga ervanuit dat je je mond hierover houdt en beseft dat het beter is om de zaak vanaf nu te laten rusten.' Gilles legde een hand op zijn arm. 'We willen allemaal weten wie je vader heeft vermoord. Iedereen is ermee bezig. Je moet vanaf nu alleen geduld hebben. Kan ik daarvan opaan?'

Drugshandel, concurrentie, afschuwelijke wraakacties en gevaarlijke Kroaten. Tim begon eindelijk te snappen waarvoor zijn moeder hem al die tijd probeerde te beschermen.

Maar hij gaf geen antwoord.

8

'Hallo jongens.' Sams moeder zat in de tuin aan tafel. Voor haar stond een pot met thee. Over de rand van haar zonnebril keek ze de twee jongens aan. 'Lusten jullie ook?' Ze legde de reisbrochure waarin ze had zitten bladeren opzij. 'Hoe was het op school?' Zonder op antwoord te wachten nam ze de pot en schonk de kopjes vol.

Sam haalde zijn schouders op. 'Ging wel, het was niet zo'n lange dag vandaag. Dat scheelt.'

Zijn moeder nipte van haar thee. 'Ik heb vandaag zitten bladeren en ben een leuke bestemming tegen gekomen. Ferienpark nog wat, in Duitsland. Kijk maar.' Ze sloeg de reisbrochure open en legde hem voor Sams neus.

Tim keek over zijn schouder mee. De bladzijde stond vol met leuke foto's. Het park had een enorm zwembad met waterglijbanen, een survivalbaan, een tennisbaan en midgetgolf. Het geheel lag – volgens de luchtfoto – in een bosrijk gebied. Op een afstandje was zelfs een groot meer.

'Zeg maar wat je ervan vindt, dan kan ik zo snel mogelijk boeken.' Ze keek even naar Tim. 'En als je het leuk vindt, mag je weer met ons mee. Hans en ik hebben overlegd. Vorig jaar vonden we het erg gezellig, dus voor ons is het geen probleem.'

'Voor Tim is het ook geen probleem, toch?' Sam porde hem in zijn buik.

'Nee, vast niet,' zei Tim. Het was inderdaad een gave tijd geweest. 'Ik moet het alleen even met mijn… moeder overleggen.'

Daar had je het weer, dacht hij triest. Alles wat er gebeurde deed hem aan zijn vader denken. Steeds weer kwam hij terug in zijn gedachten. Tim probeerde het trieste gevoel te onderdrukken en glimlachte naar Sams moeder. 'Maar ze vindt het vast goed.'

Sams moeder klapte verrukt in haar handen. 'Dat wordt dan geregeld,' zei ze enthousiast.

'Dank u wel,' zei Tim.

'Je hoeft mij niet te bedanken hoor,' wuifde ze weg. 'We nemen je alleen maar mee omdat Sam ons anders de oren van het hoofd zeurt.'

Tim lachte en Sam schudde afkeurend zijn hoofd. 'Dat geloof je toch zeker zelf niet?' mompelde hij.

Gilles maakte die avond spaghetti. Emma zat op de bank met haar neus in allerlei paperassen. Hier en daar maakte ze aantekeningen. Rony zat aan de tafel achter zijn laptop te werken. Hij keek gespannen naar het beeld en wreef zo nu en dan over zijn slapen, alsof hij moeite had zich te concentreren.

Door de uitnodiging van Sams ouders om mee te gaan naar Duitsland, was Tim alle ellende een beetje vergeten. Maar nu hij hier weer thuis was, kwam het beetje bij beetje terug. Een beklemmend gevoel, waar hij maar niet aan kon ontkomen. Alles in en om het huis deed hem aan zijn vader denken. Soms ergerde hij zich eraan: alsof hij het verleden niet kon laten rusten! Na die gedachte kreeg hij altijd een schuldgevoel. Zijn vader kon er toch niets aan doen dat hij zoveel van hem had gehouden?

Er was nog een reden die het er niet makkelijker op maakte om thuis te zijn. Rony. Tim vond het lastig om met hem om te gaan. Op de een of andere manier kon hij het idee dat Rony iemands hand had laten toetakelen niet van zich afzetten. Gilles – die het niet eens met eigen ogen gezien had! – was helemaal ontdaan van wat er in die coffeeshop gebeurd was, op bevel van Rony.

Diezelfde man zat nu hier, achter zijn laptop alsof er niets gebeurd was, alsof het hem niets kon schelen. Waarschijnlijk kon hem dat ook niet. Tim moest steeds aan het verhaal van Pieter Haashout denken. Rony was een harde. Hij deinsde nergens voor terug. Zou hij echt meer van de moord op zijn vader weten?

Aan de andere kant had Tim meer vertrouwen in het verhaal over de Kroaten. Zijn vader had aardig wat Kroaten tegen zich opgezet, dus die theorie was niet onmogelijk. Bovendien had Gilles hem verteld dat Haashout de schuld mogelijk op iemand anders zou afschuiven. Rony in dit geval. Daarnaast vertrouwde Tim Gilles meer dan Pieter Haashout.

Hoe dan ook, het was zijn zaak niet. De politie moest het uitzoeken. Hij had er intussen behoorlijke spijt van dat hij bij Haashout in de auto was gestapt. Al was het maar om wat hij over Rony had gehoord. De omgang was er niet makkelijker op geworden.

Hij hielp Gilles in de keuken. De spaghetti stond nog op het fornuis en was bijna klaar om opgediend te worden.

'Dek jij de tafel alvast,' opperde Gilles. 'Dan kunnen we direct aanschuiven.'

Tim haalde vier borden uit de kast en schikte de tafel. Hij was er verassend snel aan gewend geraakt dat hij nog maar vier borden hoefde te pakken. Het vijfde bord bleef eenzaam in de kast staan.

'We kunnen eten,' meldde hij in de woonkamer.

Zijn moeder knikte en begon haar papieren op te ruimen.

Rony schudde zijn hoofd. 'Het spijt me, Tim. Ik heb een afspraak. Laat maar wat voor me staan, ik warm het vanavond wel op.'

'Dus je komt straks nog terug?' informeerde zijn moeder.

'Ja, dan leg ik de uitslag gelijk vast in de database.' Hij wierp een blik op Tim, die niets van het gesprek volgde. 'Ik ga ervandoor.' Hij raapte zijn spullen bij elkaar en verliet de kamer.

Emma liep met Tim mee naar de keuken en ze schoven aan tafel.

'Waar is Rony?' wilde Gilles weten, terwijl hij opschepte.

'Naar rechercheur Grindbudel,' antwoordde Emma. 'Op het politiebureau.'

Tim keek op van zijn bord. 'Waarom komen die rechercheurs eigenlijk zo weinig langs?'

Zijn moeder en Gilles wisselden een blik.

'Ze zullen het wel druk hebben,' verklaarde zijn moeder.

'Ik vind het maar raar.' Tim nam een hap spaghetti. 'De enige keer dat ik ze hier samen heb gezien was toen ze Gilles verhoorden. Hebben ze jou al verhoord, mam?'

Zijn moeder keek met een schuine blik naar Gilles. 'Eh… nee, nog niet.'

'Is dat niet vreemd?'

Gilles kuchte. 'Valt wel mee hoor, Tim. Misschien zagen ze geen reden om je moeder te verhoren. Jij bent toch ook niet verhoord?'

'Wil jij wijn, Gilles?' wisselde Emma van onderwerp.

'Lekker.'

Ze nam de karaf en schonk twee glazen vol. 'Tim,' zei ze, tussen twee slokken door. 'Hoe is het eigenlijk met je schoolwerk?'

'Hoe bedoel je?'

Zijn moeder haalde haar schouders op. 'Ik vraag me af of het nog lukt op school? Het is natuurlijk… niet vreemd als je je wat minder kunt concentreren de laatste tijd.'

'Is er gebeld?' Hij was gelijk op zijn hoede. Zijn moeder begon niet zomaar over school.

'Nee.' Ze schudde haar hoofd. 'Er is niet gebeld. Maar je weet hoe belangrijk ik het vind dat je je best doet.'

Tim knikte. 'Ik doe nog steeds mijn best.' Hij prikte nonchalant wat spaghetti aan zijn vork. Hij had helemaal geen zin om dit gesprek te voeren. De sfeer in huis benauwde hem. Het was net of hij buiten liep en het ieder moment kon gaan regenen. Er was iets aan de hand, maar hij wist niet wat. In hem begon het ook flink te waaien, alsof er storm op komst was.

'Dat geloof ik wel. Onthoud dat het erg belangrijk is om een diploma te halen. Op die manier kun je aan een goede en eerlijke baan komen. Ik zou graag zien dat je dat voor elkaar krijgt.' Ze keek hem aan. 'En daar heb ik alle vertrouwen in.' Ze legde haar hand op de zijne. 'Wees niet bang om met me te praten als het minder gaat. We komen er wel uit, samen.'

Tim wilde een hap van zijn spaghetti nemen, maar liet zijn vork terug op het bord vallen. 'Nou, dat moet nog maar blijken!' zei hij verbeten. 'Je houdt mij overal buiten. Ik mag helemaal niets weten!' Hij schoof zijn stoel naar achteren. 'En wat school betreft, bemoei je met je eigen zaken! Jij hebt toch ook geen eerlijke baan met al die diploma's en rechtenstudie van je?!'

Zonder op antwoord te wachten draaide hij zich om en rende naar boven.

Tim had de eerste drie uur vrij, wat betekende dat hij pas om half elf op school hoefde te zijn. Hij werd wakker door het tsjilpen van een paar vogels. Eerst rekte hij zich eens goed uit, daarna kroop hij uit bed en liep naar de badkamer.

Toen hij voor de spiegel stond, hoorde hij beneden de voordeur dichtslaan. Uit het raam zag hij zijn moeder naar haar auto lopen.

Dag mam, dacht hij en smeerde wat gel in zijn haar.

In de woonkamer keken twee roodomrande ogen hem vanachter de laptop aan. Rony zag er belabberd uit. Zijn ogen lagen diep in hun kassen en baardstoppels tekenden zich af op zijn gezicht.

'Goedemorgen,' zei Tim. 'Heb jij hier de hele nacht gezeten?'

'Hm?' Rony wreef in zijn ogen. 'Ja.' Hij strekte zijn nek en Tim hoorde zijn gewrichten kraken. Voor hem op tafel lag de telefoon en er stond een kopje koffie.

'Ben je zo lang op het politiebureau geweest?'

'Hoe weet jij dat?' Rony keek hem verbaasd aan. Het was als onschuldige vraag bedoeld, maar Rony was wantrouwig als altijd. Tim schrok van zijn reactie, maar trok zijn schouders op. 'Ik ving zoiets op.' Hij ging naar de keuken en smeerde een paar boterhammen voor zichzelf. Op de achtergrond hoorde hij Rony's vingers over het toetsenbord gaan. Hij kreeg kippenvel van die man.

Rony's mobiele telefoon ging af.

'Ja?'

De rest van het gesprek ging in het Engels. Een taal die voor Rony geen enkel probleem was. Tim schonk een glas melk in en glimlachte. Hij zou met zijn Engelse grammatica eens een avondje bij Rony langs moeten gaan. Die had tenslotte in Engeland op school gezeten. Van wie kon hij het beter leren?

Het gesprek viel stil en hij hoorde Rony een nummer intoetsen. 'Emma? Met mij, Rony. Ik heb net nog gekeken. Er is genoeg saldo voor die investering. Die kwekerij van Dampoort.'

Tim staarde bevroren naar zijn boterhammen. Kwekerij van Dampoort? Tim dacht aan het gesprek op de achterbank van Haashouts auto.

'Ben jij al bij die makelaar of ben je nog onderweg? Ja... Ja... Als we het geld nu eens via Guernsey overmaken?' Stilte. 'Nou, om eerlijk te zijn heb ik al met de bankier gebeld. Het is mogelijk om het geld binnen een paar dagen in Nederland te krijgen.'

In gedachten speelde Tim het gesprek met Haashout nog eens af.

Tot Rony met het voorstel kwam om zelf te gaan kweken. Misschien ken je het wel, nederwiet... Er ontstond een conflict. Rony was er helemaal voor om zelf te gaan kweken, maar je vader... dat is een ander verhaal.

'Wilde hij het niet?'

'Absoluut niet. Hij kreeg juist zulke goede kwaliteit van de Pakistani. Zijn drugs zijn nog steeds een topproduct. Door het zelf te gaan maken en zijn lijn met Pakistan te stoppen, zou hij zijn eigen graf graven...

Tim zette het pak melk op het aanrecht. Haashout had gelijk. Rony zette alles op alles om zijn zin door te zetten. En aan dit telefoongesprek te horen ging zijn moeder er helemaal in mee. Had Rony echt zijn kans afgewacht om de organisatie over te nemen?

'Atkinson is een man zonder scrupules. Hij gaat en staat waar hij wil, zal alles in het werk stellen om zijn doel te bereiken.

'Ik wacht er wel op. Ja, die liggen nog in mijn auto. Ik ga ze zo halen. Tot straks, Emma.'

De verbinding werd verbroken.

Tim hoorde Rony voorbijlopen en de buitendeur dichtslaan. Hij nam zijn bord en liep terug naar de woonkamer. Toen hij de tafel waaraan Rony had zitten werken passeerde, viel zijn blik op het scherm van de laptop. De screensaver stond aan. Hoe toepasselijk, dacht hij, vliegende dollarbiljetten.

Tim keek naar de gesloten deur, bleef even staan en ging toen achter de laptop zitten. Hij legde zijn hand op de muis en de screensaver bewoog. Met een onaangenaam hard geluid verscheen er een scherm in het midden. Voer wachtwoord in.

Tim zuchtte en keek nog eens naar de deur. Als vanzelf gleden zijn vingers over het toetsenbord. Verkeerd wachtwoord. Probeert u het nog eens…Hij beet op zijn lip en tikte 'Rony' in. Verkeerd wachtwoord…

Wat kan zijn wachtwoord zijn? Wat is een woord dat Rony veel gebruikt? Een woord dat betekenis voor hem heeft? 'Geld', typte hij in. 'Marihuana', 'Pakistan', 'Atkinson', 'Londen', 'London'. Verkeerd wachtwoord … Verkeerd wachtwoord … Verkeerd wachtwoord. Probeert u het nog eens…

Er overviel hem een naar gevoel toen hij eraan dacht dat Rony ook wel eens voor een cijfercombinatie kon hebben gekozen. Dan kon hij het wel schudden. Het waren kennelijk duistere documenten, die Rony te verbergen had. Anders had hij ze niet zo zwaar beveiligd.

Hij wilde op staan, toen hij een ingeving kreeg. *Misschien dat je er al wat van weet, maar ik heb zelf ook een kind.*

Alice, dacht hij ineens. Zijn vingers vormden de naam. Trillend drukte hij op enter. Verkeerd wachtwoord…

Waarom was het niet gewoon Alice? Tim staarde verbaasd naar het toetsenbord. Rony was papieren uit de auto halen. Hij kon ieder moment terugkomen. *Ze is vier jaar ouder dan jij en ze heet Alice, eigenlijk…*

'Alicia', typte hij en drukte op enter.

Het venster verdween en met een tevreden glimlach kreeg hij inzage in het document waar Rony aan had zitten werken.

In the pocket, stond erboven.

Het venster was verdeeld in kolommen. De eerste kolom noemde een nummer, de tweede een naam, bij de derde stond een functie, bij de vierde 'last' en bij de vijfde 'opmerkingen'. Tim zette zijn vinger op het touchpad en rolde door het scherm. Zo op het eerste gezicht begreep hij er weinig van.

'Veenendaal, M.,' las hij. 'Functie: commissaris van politie. Opmerkingen: betrokken bij verkeersongeval in Zwijndrecht. Twee gewonden. Doorgereden.' Onder de kolom 'last' stond een pictogram dat een fototoestel voorstelde. Tim klikte erop en kreeg een vreemde afbeelding te zien. Een man met een bleek gezicht was in beeld. Hij schudde een hand. De man die aan die hand vastzat was niet te zien.

Wat vreemd, dacht hij. Hij rolde verder door het scherm.

'Zetten, K. J. van. Opmerkingen: Van Zetten is eigenaar van een firma in Groningen en heeft smeergeld aangenomen om niet failliet te gaan. Zie foto's.'

Tim opende de foto's onder 'last'. Het waren afbeeldingen van bepaalde formulieren. 'Aandelen,' las hij. 'Obligaties, banktransacties...'

Wat moest dit voorstellen? Het leek wel een database. Maar waarvan? *In the pocket*. Dat betekende 'in de zak'.

Bij de volgende naam begon Tim het te begrijpen. 'J. Zomers, functie: officier van justitie.' Op de foto's onder 'last' was een groepje goed geklede mannen te zien. Het hoofd van de man in het midden was omcirkeld. Vast en zeker J. Zomers. 'Opmerkingen: Zomers in gezelschap van drie vooraanstaande topcriminelen. Zomers wordt ervan verdacht criminelen vrij spel te geven.'

Tim keek nog eens naar de foto's. 'Last' betekende natuurlijk bewijslast. Dit was een database vol met chantagemateriaal! Zijn hart bonkte in zijn keel. Rony had allerlei troeven verzameld die hij kon inzetten als hij iets nodig had of het benauwd kreeg. Op deze manier kon hij zelfs officiers van justitie onder druk zetten.

Tim zag dat de lijst uit maar liefst tweehonderdenvier namen bestond. Onder functies kwam hij onder andere advocaten, journalisten en officiers van justitie tegen. Zelfs acht ministers stonden op de lijst.

Geschokt staarde Tim naar het beeldscherm. Dit kon Rony nooit allemaal alleen voor elkaar hebben gekregen. Zijn vader moest hier aan hebben meegewerkt. Tim kreeg voor het eerst een idee van de werkelijke macht die zijn vader moest hebben gehad. Die was nog veel groter dan hij altijd had vermoed. Hij wilde het venster terugzetten zoals hij het had aangetroffen en scrolde terug. Hij hapte naar adem toen een naam zijn aandacht trok. 'Grindbudel, E. O.,' stond er. 'Functie: Recherche Amsterdam.'

'Fred heeft die rechercheur Grindbudel nog eens nagetrokken, hoorde Tim Johan weer zeggen, een paar avonden terug.

'Ja. Het is geen lieverdje. Bij de politie Amsterdam-Amstelland is ie…

Vandaar dat de rechercheur zich zo weinig liet zien. Het was opeens glashelder. Grindbudel wist dat hij in de chantagedatabase van Rony stond…

Tim klikte op een van de foto's bij 'last'. Grindbudel stond erop. De foto was ergens buiten genomen, in het bos. De rechercheur hield een wapen vast. Hij had niet in de gaten dat hij werd gefotografeerd. 'Grindbudel in Amsterdamse Bos. Wapen in zijn hand is gestolen uit een militair depot in Polen.' Hij opende een tweede foto. Ook deze foto's werden kort toegelicht. 'Grindbudel onderhoudt contacten met de Kroatische onderwereld. Bij justitie circuleert al een poosje het verhaal over een lek bij de recherche in Amsterdam. Grindbudel, hier op de foto met Alexander Poetjenkov, speelt vertrouwelijke informatie door aan de Kroaten. Hiervoor krijgt hij betaald, zie foto drie en vier.'

Op de derde foto was te zien hoe een dikke Kroaat – Alexander Poetjenkov – een envelop over de tafel schoof, richting Grindbudel.

Op foto vier was die envelop geopend en staken er een paar biljetten van vijfhonderd euro uit, die door een hebberige Grindbudel werden geteld.

Tims ogen vlogen over het scherm. Zijn mond stond wagenwijd open. 'Extra opmerkingen,' las hij. 'Chantagemateriaal één en twee worden momenteel gebruikt. Grindbudel, die de leiding voert over het onderzoek naar Anthonies dood, heeft beloofd te zwijgen over het alibi van Gilles.' Eronder stond een datum waarop het stukje voor het laatst gewijzigd was. Dat was vannacht.

… te zwijgen over het alibi van Gilles…

Tim dacht terug aan het gesprek tussen inspecteur Van Drongen en Gilles, op de dag van de begrafenis, bij hen in de tuin.

Van Drongen: 'Nog één ding. Waar was u op de dag van de moord, tussen twee en zes uur s middags?

Gilles: 'Moet ik even denken. Ik was hier tot ongeveer kwart voor vier. Toen ben ik naar huis gegaan.

Van Drongen: 'Kan iemand dat bevestigen?

Gilles: 'Misschien mijn vrouw. Ze was thuis.

Gilles had staan liegen tegen Van Drongen. Hij had helemaal geen alibi… Het was Tim duidelijk. Rony was vannacht bij rechercheur Grindbudel geweest, met de chantagefoto's. Hij had een alibi voor Gilles 'gekocht', door de rechercheur onder zware druk het zwijgen op te leggen.

'Ja, dat wordt nog nagekeken.'

De stem van Rony bracht hem terug in de werkelijkheid. Screensaver, flitste het door hem heen. Screensaver. Hij heeft hem er net zelf ook snel opgezet, dus het moet makkelijk te doen zijn.

'Ik laat het je weten. Dag.'

Zijn voetstappen klonken in de gang, de voordeur werd gesloten.

Tim zag een vreemd pictogram, klikte erop en tot zijn opluchting verschenen de dollarbiljetten weer in beeld. Snel pakte hij zijn ontbijt en liep weg van de tafel, richting de gang.

Hij hoorde de deur van de woonkamer nog net opengaan, toen hij de trap opsloop.

10

Tim was na het ontbijt de tuin ingegaan en stond onder de Japanse kers. Triest staarde hij naar het water. Pieter Haashout had gelijk wat Rony betrof. Hij zette alles op alles om zijn zin door te drijven. Hij wilde een kwekerij in Nederland opkopen om hier zelf drugs te fabriceren. Tim had zich ernstig vergist in zijn macht. Rony hield er een hele database op na van de mensen die hij kon chanteren en gebruiken als hij ze nodig had. Een ervan was rechercheur Grindbudel. Dat verklaarde in ieder geval waarom de rechercheur hier amper was. Het zou Tim niets verbazen als er niet eens aan de zaak gewerkt werd.

Toch vroeg hij zich af waarom Rony voor Gilles een alibi had gekocht. Het alibi dat Gilles had opgehangen toen inspecteur Van Drongen ernaar vroeg, sloeg dus nergens op. Gilles had kennelijk geen alibi. Dat vrat aan Tim. Hij trok iedere dag met Gilles op. Hij vertrouwde hem volkomen, maar ondertussen had Gilles geen alibi. Waarom had hij dat nooit eerlijk tegen Tim gezegd? Dit maakte hem alleen maar verdacht.

Of wist Gilles inderdaad meer van de moord?

Tim kon het zich niet voorstellen. Gilles was altijd zo rustig en kalm. Tim was hem als een hartelijke oom gaan zien, iemand bij wie hij zich op zijn gemak voelde. Al begon Tim daar nu ernstig aan te twijfelen.

Misschien speelde Gilles wel een dubbelrol. Misschien kreeg hij te weinig betaald. Gilles was aangenomen als chauffeur, maar deed daarbij veel andere klusjes. Het was mogelijk dat zijn vader teveel van hem vroeg, maar weigerde meer te betalen. Tim wist het niet, maar het kon een motief zijn.

Het was ook mogelijk dat ze om een andere reden ruzie hadden gekregen. Anthonie had tenslotte veel ruzie gehad, de laatste tijd. Vooral met Rony en zijn moeder, maar ook met Haashout en een stel Kroaten, dus waarom ook niet met Gilles?

Hij snapte er niks van. Gilles die hem zo gesteund had de afgelopen tijd. Die hem het verhaal van de Kroaten en Pieter Haashout had verteld, zodat Tim zich beter zou voelen. Misschien had Gilles het wel met een heel andere reden allemaal verteld, realiseerde hij zich met een schok. Om hem op een dwaalspoor te zetten, of iets dergelijks.

Had hij de verhalen verzonnen om de schuld van zich af te schuiven? Gilles ging ervanuit dat Tim niet door zou graven als hij wist dat er Kroaten bij betrokken waren.

Op dat moment kwam de zwarte Mercedes het erf oprijden. De auto kwam naast die van Rony tot stilstand. Gilles stapte uit. Hij zwaaide naar Tim.

Tim zwaaide afwezig terug. Hij wist niet of hij Gilles ernaar moest vragen. Het was misschien beter om dat niet te doen. Niemand wist dat hij in Rony's laptop had zitten kijken. Door Gilles te confronteren met wat hij wist, zou hij zichzelf verraden. Het was niet de bedoeling dat iemand te weten kwam wat hij in die laptop had gevonden. Die database. *In the pocket…*

Daar stond veel informatie in. Rony was er kennelijk erg aan gehecht. Toch had hij een vergissing begaan. Zijn zwakte was het wachtwoord. Alicia vormde de sleutel.

Het was vijf voor half elf. Zijn les zou binnen vijf minuten beginnen. Hij moest wel heel hard fietsen om op tijd te zijn.

'Hé, wat ben je laat, idioot! Heb je het nog aan je moeder gevraagd?' Sam kwam de klas uit en voegde zich bij Tim.

Tim schudde zijn hoofd. 'Het is er nog niet van gekomen. Maar maak je geen zorgen, ze vindt het echt wel goed.'

Sam knikte. 'Waar was je het vierde uur?'

Hij haalde zijn schouders op. 'Ik heb me verslapen.'

Hij loog niet graag tegen Sam, maar soms was het beter om een draai aan de waarheid te geven.

Sam trok een rare grimas. 'Man, heb je tot elf uur in je bed gelegen of zo?' Ze gingen de trap af naar beneden. 'Ik heb het laatste hoofdstuk voor ons werkstuk naar je gemaild,' zei Sam. 'Ben jij al klaar met de vormgeving?'

Tim schudde zijn hoofd. De afspraken die ze over het werkstuk gemaakt hadden, waren helemaal langs hem heen gegaan. 'Ik was er gisteren mee bezig, maar het wilde niet echt lukken. Vanavond zal ik proberen om het af te maken. Ik print het dan gelijk uit, dan leveren we het werkstuk morgen in.' Weer een leugen, hij was er niet trots op.

Ze hadden Nederlands. Tim luisterde maar half. Hij was met zijn gedachten bij heel andere zaken. De laptop van Rony en het alibi van Gilles. Het zat hem allemaal behoorlijk dwars. Maar toch was hij liever op school dan thuis.

Hij dacht aan rechercheur Grindbudel. Het was een gek idee dat die man het onderzoek leidde. Zijn eigen mensen wisten van niks, dachten dat ze volop met het moordonderzoek bezig waren, maar Grindbudel stuurde ze allemaal de verkeerde kant uit. Had dan echt niemand iets door? Kon Rony zelfs de politie naar zijn hand zetten? Alleen maar omdat Gilles geen alibi had?

Tim dacht aan inspecteur Van Drongen. Die had niet op de lijst gestaan. Waarschijnlijk was zijn carrière te kort om chantagemateriaal te vergaren. Of Rony zag er het nut niet van in.

Dat bracht Tim op een idee. Als hij een afspraak maakte met Van Drongen, kon hij hem laten zien wat er speelde. Misschien dat de jonge inspecteur hem verder kon helpen.

Daarvoor zou hij dan nog wel een keer in Rony's laptop moeten duiken. Anders kon hij niets aantonen. Dat zou een hele

opgave kunnen worden. Hij zou Rony moeten afleiden om...
'Nou?' Jansen keek Tim vragend aan. Tim merkte dat het doodstil was in de klas. Alle ogen waren op hem gericht.

11

De telefoon van Rony ging over. Ze zaten in de auto, op weg naar een restaurant in het centrum. Gilles stuurde, Rony zat naast hem. Tim en zijn moeder zaten op de achterbank.

Rony zette het toestel aan zijn oor. 'Ja?'

Tim keek nors uit het raam. Hij had helemaal geen zin om met Rony en Gilles uit eten te gaan. Hij had het gevoel dat er spelletjes met hem werden gespeeld en hij baalde ervan. Opeens leken ze allemaal wat te verbergen.

'Nu?' zei Rony. Hij keek in zijn achteruitkijkspiegel. Zijn ogen kruisten kort die van Tim. 'Ja, dat begrijp ik. Ik zal het even overleggen.' Hij legde zijn hand om het toestel en keek naar Emma. 'Dampoort. Hij is vandaag in Amsterdam en staat op het punt weer naar Friesland te vertrekken. Als we willen kijken, kunnen we nu terecht.'

Tim deed net of hij het gesprek niet hoorde. Zijn moeder keek even naar hem, ze voelde zich duidelijk bezwaard.

'Vanavond vertrekt hij,' drong Rony aan.

'Dat moet dan maar,' zei ze zacht. 'Gilles, wil je bij dat weggetje de auto even keren...'

De bomen flitsten in hoog tempo aan hem voorbij. Zo nu en dan was er een boerderij of een weiland. Tim zag niets van dat alles. Hij staarde blind naar een punt aan de horizon en zijn gedachten waren ver weg. Hij was nog maar net thuis uit school geweest toen zijn moeder hem was komen ophalen van zijn kamer. Of hij zin had om een hapje te gaan eten? Eigenlijk wilde hij zich eindelijk eens op het werkstuk storten, maar hij had geen zin om zelf te moeten koken. Dus was hij maar meegegaan. Nu was hun 'gezellige' uitje verstoord door een of ander telefoontje.

Boven hen waren donkere wolken die ieder moment konden openscheuren. Ze joegen als duivels door de lucht en kondigden ernstig noodweer aan. Van de zon van gisteren was geen spoor meer te bekennen.

Ze hadden de drukte van Amsterdam al een tijdje achter zich gelaten en reden via wat kleine gehuchten steeds dieper de polder in. Tim kon zich niet herinneren dat hij hier eerder was geweest. Toch herkende hij punten in de verte. Ze waren niet ver van Amsterdam.

Niemand zei iets. De sfeer in de auto was geladen. Rony keek star voor zich uit, zijn ogen koud en meedogenloos als altijd. Tim had nog steeds moeite om bij hem in de buurt te zijn. Het was net of hij een geheim had, dat hij samen met Rony deelde. Alleen wist Rony dat niet. Tim had zich ook afgevraagd of zijn moeder van de database op de hoogte was. Het wachtwoord was Alicia. Zou zijn moeder dat wachtwoord ook weten? Bovendien stond alles op Rony's laptop.

Na een minuut of vijf kwam de Mercedes langs een boomgaard tot stilstand.

'Hier is het, neem ik aan?' vroeg Gilles.

'Ja,' zei Emma, 'rijd de auto maar het erf op.'

Gilles stuurde de auto via een bruggetje de sloot over tot vlak naast een groot bakstenen huis. Achter de sombere woning staken duizenden vierkanten, glazen raampjes een meter of tien de hoogte in: broeikassen. Hij had weinig tijd nodig om tot de conclusie te komen dat dit niet het restaurant was.

'De kwekerij,' legde zijn moeder uit, die hem vragend naar buiten had zien kijken. 'Rony en ik moeten nog even wat regelen met de eigenaar, meneer Dampoort. Die is speciaal voor ons teruggekomen. We kunnen hem niet afzeggen.'

'Wat moet er dan gebeuren?' vroeg Tim.

Rony keek hem fel aan via de spiegel. Emma zag de blik in zijn

ogen en haalde haar schouders op. 'We zijn van plan de kwekerij op te kopen. Je mag wel in de auto blijven zitten, we zijn niet
zo gek lang bezig.'

'Wat ben je met die kwekerij van plan?' Tim negeerde de geër-
gerde blik die hem via de spiegel werd toegeworpen. Rony kon
de pot op.

'Niets bijzonders,' zei ze. 'Zoals je weet handelen we ook in
onroerend goed. We kopen de kwekerij van deze man over en
verkopen hem over een jaar of wat weer verder.' Iets in haar
ogen hield afstand van hem.

Natuurlijk, dacht Tim. Als je het zelf maar gelooft, mam.

Hij had geen zin om er verder nog op te reageren. Tim hoefde
niet lang na te denken om te snappen dat dit helemaal niets met
onroerend goed te maken had. Waarom deed ze het? Zijn moeder wist heel goed dat zijn vader zich tegen dit plan had verzet!
Anthonie wilde geen eigen kwekerij.

'Nederwiet, dreunde de stem van Pieter Haashout in zijn hoofd.
Hij keek naar Rony. Die wist er ongetwijfeld meer van. Op de
een of andere slinkse wijze had hij zijn moeder zover gekregen
met hem mee te gaan.

Rony en Emma waren uitgestapt. Rony liep naar de deur van
het huis en belde aan. Een grote, oudere man in werkoverall
deed open. Vast de eigenaar, meneer Dampoort.

Gilles stond zwijgzaam bij de Mercedes en staarde somber naar
de kassen. Tim wist eigenlijk niet wat Gilles van het hele plan
vond. Gilles hield zich daar normaal gesproken niet mee bezig,
maar hij had er vast wel een mening over. Sinds vanochtend
had Tim geen woord meer met Gilles gewisseld.

'Kom, dan gaan we naar binnen.' Emma keek naar Tim, alsof
ze hem er niet bij wilde hebben. Maar Tim liet zich niet wegja-
gen en liep achter hen aan de kas in. Gilles volgde hem op een
afstandje.

Wat Tim het eerst opviel was de ruimte. Hij had niet veel verstand van oppervlaktematen, maar de ruimte was ongeveer gelijk aan tien forse gymzalen, als het niet meer was.

De kassen waren in drie afzonderlijke rijen verdeeld, alleen toegankelijk via houten deuren. Iedere rij was door middel van houten wanden nog eens in vier stukken verdeeld, met steeds een dubbele deur ertussen. Het rook er naar grond en aarde. Overal stonden nog grote bakken met aarde, hier en daar een vergeten plant. Helemaal achteraan stond het nog vol met planten. Daar was meneer Dampoort zeker nog niet aan toegekomen...

Tim bekeek de ruimte zonder er gevoel bij te hebben. Rony schonk geen aandacht meer aan hen en bekeek van alles en nog wat. Zo nu en dan schreef hij iets op een klein velletje papier. Hij hield de notities angstvallig bij zich. Halverwege bleef hij staan.

'We moeten zorgen dat we hier extra stroom krijgen,' zei hij zachtjes tegen Emma, maar net hard genoeg zodat Tim het kon horen. 'Of zullen we dit deel als kantoor gebruiken?'

Emma haalde haar schouders op. Ze loerde even naar Tim, keek of hij hen kon verstaan.

Rony ging verder. 'De experimentele ruimte is verderop. Ik denk dat het wel lukt om er een laboratorium aan te bouwen. Dan kunnen we daar met plantjes laten experimenteren.'

'Prima.' Ze zei het zo zacht mogelijk, maar haar stem weerkaatste. Ze had net iets teveel haar best gedaan om het stil te houden.

Het viel Tim op dat zijn moeder weinig enthousiast klonk. Deed ze het dan inderdaad tegen haar zin in? Alleen om Rony een plezier te doen?

Hij liep op eigen houtje door de kwekerij. Eigenlijk had hij met één kas wel genoeg gezien. Alles was toch hetzelfde. Achterin waren nog wat boompjes en planten. De huidige eigenaar had planten gekweekt. Waarschijnlijk om door te verkopen aan tuincentra of particulieren. Tim snoof. Dat was ook ongeveer wat Rony van plan was. Alleen ging het waarschijnlijk niet om geraniums en kamerplanten. Deze ruimte zou in de toekomst gebruikt gaan worden voor de productie van nederwiet. Zo hoefden Rony en zijn moeder geen hasj meer uit Pakistan te importeren, met alle risico's en grenscontroles van dien.

Het hele imperium dat zijn vader had opgebouwd, zou worden weggevaagd. Hij was nog maar net dood, of Rony haalde een enorme bezem door de zaak. Als het aan Tim lag mocht hij er opstappen en heel ver weg vliegen.

Op zich vond Tim het idee niet onaantrekkelijk. Hij wist dondersgoed wat een jointje was. Niet dat hij het zelf had gebruikt, maar cannabis, marihuana en hennep waren op school veelbesproken onderwerpen. Eigenlijk was het absurd. Iets wat jarenlang verboden was, werd mogelijk binnenkort gelegaliseerd. En zijn moeder zou een grote rol gaan spelen in deze nieuwe industrie. Misschien kon Tim vroeg of laat wel haar opvolger worden. Hij moest toch glimlachen om het idee.

Wat hem dwarszat aan het hele plan was zijn vader. Die wilde geen eigen kwekerij. Tim wist niet wat de precieze reden daarvoor was, maar hij nam aan dat zijn vader zich niet voor niets tegen de plannen van zijn moeder en Rony had gekeerd.

Chagrijnig liep hij terug naar zijn moeder en Rony, die nog bij de eerste kassen waren.

'… één woord fantastisch. Het geheel is prima in te delen. Ik heb eens rondgekeken. We kunnen hier per jaar maar liefst vier keer zoveel uithalen, als uit Hyderabad. Dat betekent dat het helemaal niet erg is als er af en toe eens een oogst mislukt, niet dat dat gebeurt natuurlijk.' Rony lachte zelfverzekerd.

Ja, hij had gelijk. De kwekerij ging de plaats van Pakistan

opvullen. Waarom lieg je tegen me, mam? Waarom houd je het toch allemaal verborgen? Ik kom het toch wel te weten.

'Natuurlijk niet. Met onze apparatuur moet dat geen enkel probleem zijn.'

Tim bleef ergens achteraf staan en luisterde aandachtig naar het gesprek. Hij trok zich terug toen Emma over haar schouder keek, misschien op zoek naar hem.

'We hebben het er straks wel over,' hoorde hij Rony zeggen. 'We moeten het trouwens nog over personeel hebben. Ik wil zo goed mogelijk voorbereid zijn als die legalisatie er doorkomt.'

Het was eigenlijk onvoorstelbaar, vond Tim, dat Rony zo hard op de zaken vooruit liep. De legalisatie was nog steeds een agendapunt in de Kamer en er was nog altijd geen besluit genomen. Dat steeds meer politici voor stemden, was een goed teken. Maar voordat alles rond de legalisatie geregeld was, konden er zo weer een jaar of twee voorbij zijn.

Rony en zijn moeder spraken zachtjes verder en nu kon hij hen echt niet meer horen. Ze liepen in snelle pas op de uitgang af.

Hij kwam tevoorschijn en liep achter ze aan.

'Ah, daar ben je,' zei zijn moeder. Ze glimlachte lief naar hem. Tim ontweek haar blik.

Gilles stond bij de Mercedes en keek uit over de boomgaard.

Tim ontliep hem en ging snel in de auto zitten. Hij had niet zoveel zin om met Gilles te praten.

Rony noteerde nog wat op zijn blaadje en stapte als laatst in de auto, met een vage glimlach op zijn gezicht.

Gilles reed hen alsnog naar het centrum van de stad. Ze kozen voor een Chinees restaurant en werden vrijwel direct geholpen, omdat Rony de eigenaar persoonlijk kende. Ze werden naar de beste plek gebracht, ergens achteraan.

Tim keek de tafel rond. Er spookte van alles door zijn hoofd.

Alsof er een storm rondwaarde die maar niet ging liggen.

De ene gedachte na de ander drong zich aan hem op. Dan was het Rony die iemands hand liet bewerken, de gegevens op zijn laptop, dan weer het gesprek van Haashout, het alibi van Gilles, het omkopen van rechercheur Grindbudel, de kwekerij van Dampoort, nederwiet.

Het verhaal aan inspecteur van Drongen vertellen leek hem een steeds beter idee. Alles moest hij hem vertellen. Vooral over Rony's laptop en de chantagedatabase. Hij moest snel een moment vinden om nog eens in die laptop te kunnen snuffelen. Als hij dan alles opsloeg op een schijfje, kon hij de inspecteur genoeg bewijs overhandigen. Misschien werd rechercheur Grindbudel dan van de zaak gehaald en zou alles wel worden opgelost. Het mocht toch niet zo zijn dat één iemand in staat was een compleet onderzoek te manipuleren?

Tim blies in de soep op zijn lepel voor hij die opslurpte. Hij wilde dat het al zomervakantie was en dat hij met Sam in Duitsland was. Met alle problemen die hij hier nu had, leek dat heel ver weg te zijn. Hij moest nog steeds toestemming aan zijn moeder vragen.

'Hoe is het met je werkstuk?' vroeg Gilles aan hem, toen het hoofdgerecht was opgediend.

Tim haalde zijn schouders op. 'Ik moet er nog een klein beetje aan veranderen,' zei hij. 'De opmaak en zo.'

Gilles glimlachte. 'Wanneer ga je dat doen? Ik wil het wel eens zien.'

'Nee,' zei Tim. 'Je hoeft het niet te zien. Ik hou het liever voor mezelf.'

Hij had direct spijt van zijn botte antwoord.

12

Tim haalde het laatste stukje tekst van zijn mail en opende het document. Sam was aardig tekeergegaan, stelde hij vast. Hij voelde zich nog schuldiger toen hij het resultaat zag.

De inhoudsopgave was al ingevuld. In totaal hadden ze twaalf hoofdstukken en een voorwoord. Het nawoord zou Tim nog toevoegen. Hij probeerde zijn aandacht op het beeldscherm te richten, maar het viel niet mee.

Ze hadden heerlijk gegeten, maar echt gezelliger was het er niet op geworden. Aan het eind van de maaltijd had Rony met een nors gezicht de rekening betaald. Hij had met Emma zitten ruziën over de kassen van Dampoort. Ze deelde overduidelijk niet hetzelfde enthousiasme als hij. Ze hadden hun best gedaan het onderwerp te camoufleren. Als het aan zijn moeder had gelegen, was Tim niet eens meegegaan naar de kwekerij. Omdat het niet anders kon, had ze maar wat leugens rondgestrooid en zo zacht mogelijk gesproken. Maar Tim had dondersgoed door wat er speelde. Gilles had ook al die tijd zijn mond gehouden. Dit soort zaken ging hem niet aan.

Tim had Gilles verder niet meer gesproken. Onderweg had de chauffeur geen woord gezegd en toen hij ze thuis had afgezet, was hij met Rony in de auto blijven zitten. Vervolgens was hij naar huis gegaan. Hij keek uit het raam. De witte BMW van Rony stond er nog.

Hij keek weer naar het beeldscherm en begon aan het nawoord te werken. Wat moest hij schrijven? Het was natuurlijk hartstikke leerzaam om aan het werkstuk te werken, ook hadden de fijne geschiedenislessen veel informatie opgeleverd over het onderwerp... Dat lazen leraren graag. Hij schreef, las het door en vond het welletjes. Nu hoefde hij alleen nog maar plaatjes toe te voegen, het geheel in hetzelfde lettertype te gieten en af te drukken. Dat alles kostte hem nog geen kwartier. Op het moment dat zijn printer begon te zoemen, kwam een auto het erf oprijden. Tim keek verrast uit het raam en zag dat het Gilles was. Hij opende het portier en sloeg het kwaad dicht.

'Waar bemoei jij je mee, Atkinson?!' bulderde Gilles even later door het huis. Tim kreeg kippenvel van de woede in zijn stem. Hij had hem nog nooit zo kwaad meegemaakt.

'Gilles.' Rony sprak gedempt, probeerde hem te kalmeren. 'Wat is er aan de hand? Vanwaar dat kabaal?'

Kennelijk waren ze in de gang. Tims deur stond op een kier.

'Jij moet je niet met mij bemoeien, Atkinson! Ik kan mijn boontjes prima zelf doppen.'

'Waar gaat dit over?'

'Rechercheur Grindbudel misschien?'

Er viel een stilte.

'Je hebt mijn alibi gekocht!'

Tim luisterde gelaten naar het gesprek. Op de achtergrond zoemde de printer vredig, terwijl hij de blaadjes uittufte. Hij moest gelijk denken aan de database in Rony's laptop. Het had er duidelijk gestaan. Bewijsstuk zoveel werd gebruikt om te zwijgen over het alibi van Gilles, maar... Tim fronste.

'Denk je nu echt dat je me daarmee helpt? Ik zit hierdoor alleen maar dieper in de problemen.'

'Hoe kan dat? Grindbudel heeft me verzekerd dat hij het zou laten rusten.'

'Hij misschien wel, maar die jonge agent niet. Die stond net bij me op de stoep, te vragen naar mijn echte alibi. Er was nog iemand bij hem, maar dat was niet Grindbudel. Vast een andere rechercheur. Je bent door de mand gevallen, Rony, en behoorlijk hard. En daardoor ben ik nu verdacht!'

'Kalm, kalm, Gilles. We lossen dit op...' Rony sprak zalvend, maar kon Gilles' woede niet sussen.

'Jij lost dit maar op.'

'Loop even mee naar buiten. Emma is in de woonkamer.'

Hun voetstappen echoden door de gang en Tim hoorde de voordeur in het slot vallen.

Tims raam stond open. De printer was klaar met het werkstuk. Tim kon het gesprek nog beter verstaan dan toen ze binnen stonden. Hij zag ze bij de Mercedes staan. Hij bleef doodstil op zijn stoel zitten, bang dat ze hem in de gaten kregen en het gesprek zouden staken.

'Waarom heb je een alibi voor me gekocht?' wilde Gilles weten.

Rony sloeg zijn armen ongemakkelijk over elkaar. 'Omdat ik je wilde helpen.' Hij schudde zijn hoofd. 'Ik snap niet dat je daar zo kwaad over bent. Je hebt toch geen alibi?'

'Ik was thuis. Dat heb ik inspecteur Van Drongen ook verteld. Hij is het bij mijn vrouw gaan checken. Ze is altijd thuis, behalve die middag, toen was ze naar de school van mijn kleinzoon.'

'Dus voor de politie heb je geen alibi.'

'Nee. Tot jij met je portemonnee begon te zwaaien.'

Rony schudde zijn hoofd. 'Dat was inderdaad erg slordig van rechercheur Grindbudel. Geloof me, Gilles, ik ga dit oplossen.' Hij legde een hand op Gilles' schouder.

Gilles was woedend. 'Anthonie was te vertrouwen, Rony. Die overlegde dit soort dingen met mij. Als jij dat ook had gedaan, was er nu geen probleem geweest.'

'Wat wil je daarmee zeggen?' Rony trok zijn hand weg.

Vernietigend keek Gilles hem aan. Zonder nog iets te zeggen stapte hij in de auto.

'Gilles?' Rony opende het portier naast dat van de bestuurder en ging naast hem zitten. 'Wat ben je van plan?'

Hij sloeg het portier dicht en de rest van het gesprek werd Tim ontnomen. Ontgoocheld staarde hij voor zich uit.

13

Sam tikte hem op zijn arm. 'Wat zit je toch allemaal te denken, Tim?' fluisterde hij.

Tim keek op. Sam had zijn wiskundeboek voor zijn neus. De hele klas was bezig en Tim had geen flauw idee waarmee. Dat was hem de afgelopen dagen vaker overkomen.

Sam schoof zijn boek naar het midden zodat Tim mee kon kijken. 'Breuken en kommagetallen, weet je nog?' zei hij.

'Ik heb er niet echt zin in,' mopperde Tim. 'Waarom moeten we onze tijd toch met dit soort onzin vullen?'

Haverman keek waarschuwend hun kant uit.

Tim trok zijn schrift tevoorschijn en sloeg zomaar ergens een lege bladzijde open. Daarvan had hij er nog genoeg.

'Heb je geschiedenis uitgeprint?' vroeg Sam een paar minuten later. Hij was klaar met de opgaven.

Tim knikte. 'In mijn tas,' fluisterde hij.

'Mag ik het zo eens zien?'

Tim haalde het werkstuk uit zijn tas en schoof het over tafel naar Sam. Die begon er op zijn gemak doorheen te bladeren.

'Sam, leg dat eens weg,' klonk Haverman. 'We zijn met wiskunde bezig. Als je geschiedenis wilt doen, moet je een verdieping lager zijn.'

Sam stopte het werkstuk in zijn tas. 'Ik kijk er zo wel naar,' fluisterde hij.

Tim mompelde wat, maar had het niet eens gehoord.

Gilles wist zelf niets van het gekochte alibi, dacht hij. Hij had die dag gewoon een verkeerd alibi opgegeven, zonder daar kwaad mee te willen. Hij was er vanuit gegaan dat zijn vrouw zijn alibi kon bevestigen. Uitgerekend die dag kon ze niet bevestigen dat hij thuis was, omdat ze zelf weg was geweest.

Tim kon zich wel voor zijn kop slaan. Hij had gisteren wel erg bot tegen hem gedaan. Alleen al door hem te negeren. Dat verdiende Gilles helemaal niet. Hoe had Tim ooit serieus kunnen denken dat Gilles zijn vader had vermoord?

Zuchtend keek hij op zijn horloge.

Nog een paar uur te gaan. Na de pauze geschiedenis en aardrijkskunde. Dan stond er nog een blokuur gym gepland voor het weekend begon. Tim vond dat hij gymnastiek wel een keer kon overslaan.

Na de wiskundeles at hij in de kantine zijn boterhammen op. Sam reageerde laaiend enthousiast op de plaatjes die hij op internet had gevonden. Daardoor voelde Tim zich weer schuldig. Sam had uren aan het werkstuk besteed en hij was in een half uur klaar. Ik zal het snel weer goed maken, besloot hij.

Sam was helemaal in zijn element toen de geschiedenisleraar hun werkstuk in ontvangst nam.

'Ziet er goed uit,' zei hij en bladerde er nieuwsgierig doorheen. 'Je hebt er zeker weer een heel project van gemaakt?'

Sam trok nonchalant zijn schouders op. 'Dat valt best wel mee, hoor,' zei hij. 'En Tim heeft die mooie plaatjes gevonden.'

Tim baalde ervan dat Sam alle eer op hem afschoof. Hij schudde zijn hoofd. 'Het volgende werkstuk neem ik voor mijn rekening,' fluisterde hij, toen ze gingen zitten. Sam keek alsof hij hem niet begreep en ging snel over op een ander onderwerp.

'Heb je nog met je moeder gesproken?'

Tim keek hem vragend aan.

'Over Duitsland.'

Tim schudde zijn hoofd. 'Nee, nog geen goed moment voor gevonden. Vanavond. In het weekend zal ik het je laten weten…'

'Aandacht graag, dan gaan we beginnen. Voor zover ik gezien heb, krijg ik nog twee werkstukken. Dat is erg jammer, want ik heb meermaals gezegd dat het vandaag moest worden ingeleverd...'

Tim doorliep geschiedenis en aardrijkskunde met moeite. Na de les liep hij achter Sam aan naar de kluisjes.

'Moet jij je gymspullen niet halen?' vroeg Sam. Tims kluisje was een paar rijen verderop.

Tim schudde zijn hoofd. 'Ik ga naar huis.'

'Waarom?' vroeg Sam verbaasd. Het was niks voor Tim om te spijbelen.

'Ik eh... heb nog wat goed te maken. En ik heb mijn gymspullen niet bij me.' Hij slingerde zijn tas over zijn rug. 'Zeg maar dat ik ziek ben. Ik spreek je in het weekend nog wel.'

Hij liep de trap af naar beneden. Op de fiets liet hij alles nog eens passeren. Gilles was er gisteren pas achter gekomen dat Rony een alibi voor hem had gekocht. Hij kwam tot die ontdekking toen hij bezoek kreeg van inspecteur Van Drongen. Van Drongen was toch niet voor niks bij hem langs geweest? Hij wist dus dat er iets niet in de haak was. Tim vroeg zich af of de inspecteur kon vermoeden dat zijn baas was omgekocht. Misschien zou hij erachter komen als hij op onderzoek uitging. Maar daar kon Tim niet op rekenen. Hij wist niet waar Van Drongen mee bezig was. Het leek hem nog steeds een goed idee om nog eens in Rony's laptop rond te neuzen en het een en ander op schijf te zetten. Er zat genoeg materiaal in om Van Drongen te overtuigen het onderzoek alleen voort te zetten. Wat er met Rony ging gebeuren als die bestanden in handen van de politie zouden komen, kon Tim weinig schelen.

Het was maar een kwartier fietsen van school naar huis. Er stond een krachtige wind en het dreigde te gaan regenen. Een mooi weekend zou het niet worden.

Dan had hij mooi de tijd om die laptop eens te bekijken. Hij moest alleen nog het juiste moment afwachten. Rony liet de laptop vrijwel nooit onbeheerd achter. Alleen als hij wat spullen moest halen die in de auto of ergens in het huis lagen, liet hij hem staan. De screensaver met het wachtwoord ging er dan altijd op. Gelukkig wist Tim dat al.

Maar als Rony langer wegging, nam hij de laptop meestal mee of borg hij hem op. Tim wist niet waar hij hem dan liet. Wel ergens in het huis, want zijn moeder maakte er soms ook gebruik van.

Hij moest Rony afleiden om de laptop zonder problemen te kunnen bemachtigen. Hoe kon hij dat doen?

Rony had veel contacten in de stad die hem belden, waar hij regelmatig naartoe ging. Misschien moest hij op die manier van hem afkomen. Maar hoe moest hij het spelen? Hij kon op geen enkele manier contact opnemen met Rony, zonder dat Rony zijn stem zou herkennen.

Nee, hij moest het anders doen. Hij kreeg al snel een idee. Toen hij het erf opfietste, zag hij Rony het huis uitkomen. Hij maakte nogal een verwilderde indruk. Hij zag Tim niet, liep om zijn auto heen en bleef bij de bumper even staan. Toen stapte hij in en reed Tim straal voorbij.

Tim draaide zich om naar de witte BMW. Iets had zijn aandacht getrokken, maar hij kon zo niet zeggen wat dat was.

Wat een haast, dacht hij.

Hij zette zijn fiets in de garage. De zwarte Mercedes stond niet voor het huis. Gilles was dus niet hier. Tim besloot binnen op hem te wachten. Het was tijd om het goed te maken met hem. Hij zette zijn boekentas weg en schonk cola in. Met het glas liep hij naar de woonkamer. Hij ging bij het raam staan en keek peinzend naar buiten. Hij had zijn vader vaak hetzelfde zien doen. Die kon soms wel een uur voor het raam staan. Tim had zich vaak afgevraagd wat er dan allemaal door zijn hoofd spookte. Maar hij had het nooit te horen gekregen. Zijn vader had zijn gedachten altijd voor zichzelf gehouden.

Tim dacht aan Gilles. Hoe zou hij het gesprek aanpakken? Gewoon normaal ergens over proberen te praten leek hem de beste oplossing. Echte ruzie hadden hij en Gilles tenslotte niet gehad. Hij zou beginnen over het werkstuk. Dat de geschiedenisleraar zo enthousiast had gereageerd.

Ook besloot hij geen woorden vuil te maken aan het valse alibi. Dat was beter. Gilles had ook nergens van geweten en Tim mocht niet laten merken dat hij de boel in de smiezen kreeg.

Zijn moeder was niet thuis. Gilles was vast met haar op pad. Ergens in zijn achterhoofd hoorde hij haar zeggen dat ze morgen ook voor een tijdje naar de stad moest. Dat was een mooi moment om in de laptop te gaan kijken. Hij hoefde nog maar één ding te regelen voor die tijd…

Tim ging terug naar de keuken en schonk een nieuw glas cola in. Hij keek door het keukenraam naar buiten en dacht aan Rony.

Er was iets met zijn auto geweest. Tim had het gezien toen hij het erf op kwam fietsen. Iets bij de bumper, Rony had er zelf nog naar staan kijken. Waarom was Rony zo gehaast weggegaan? Wat was er aan de hand? Hadden zijn moeder en hij weer onenigheid? Opnieuw ruzie over die kwekerij?

Tim stopte met piekeren toen hij in de verte een zwarte auto zag naderen. De auto kwam langzaam dichtbij en draaide het erf op. Omdat hij niet wilde dat Gilles gelijk zou vertrekken, liep hij door de keuken naar buiten om hem op te wachten.

De auto kwam voor het huis tot stilstand, maar het was niet Gilles die uitstapte. Het was zijn moeder.

'Mam?' vroeg hij verrast.

Haar gezicht stond gespannen. Ze keek hem aan en veegde met haar hand door haar ogen. 'Lieverd,' zei ze. Er klonk verdriet door in haar stem. Ze kwam naar hem toe en drukte hem dicht tegen zich aan.

'Mam, wat is er?' Tims stem sloeg over. Hij voelde aan alles dat er iets niet in orde was.

'Niet schrikken,' zei Emma. 'Alsjeblieft, niet schrikken... Het gaat om Gilles.'

Tims mond viel open. Iets in zijn hoofd explodeerde. De wereld begon om hem heen te draaien. De woorden van zijn moeder leken van heel ver weg te komen: 'Gilles heeft een ongeluk gehad.'

14

De witte gangen maakten een ijskoude indruk op hem. Alsof hij rondliep in een enorme koelkast.

Als de hel bestaat, dacht hij, is een grot waarin vlammen tot een oneindig plafond reiken vast een fabeltje. De echte hel moet een ontzettend groot ziekenhuis zijn. Eentje zonder uitgang.

Het was zaterdag, een dag na het ongeluk en Tim zat op een metalen bankje. Hij keek somber naar de mannen en vrouwen in het wit die voorbijkwamen. Een andere kleur scheen het ziekenhuis niet te kennen. Een schilder zou hier de dag van zijn leven hebben, tenzij hij hier was omdat hij van zijn ladder was gevallen.

'Goedemorgen, mijn naam is dokter Van Hasselt.' De man was uit het niets verschenen. 'U kwam voor meneer Montiers?'

'Ja,' antwoordde Emma. 'We zijn goede vrienden van hem. Kunt u ons iets over zijn toestand vertellen?'

'Bent u Emma Verdonkert?'

Ze knikte verbaasd.

'U was hier gisteren?'

'Toen mochten we nog niet bij hem.'

De dokter knikte. 'Dat klopt. Mevrouw Montiers heeft me inmiddels op de hoogte gesteld dat u zou komen. Het is niet gebruikelijk dat we het nieuws aan derden vertellen, vandaar. Ze heeft haar toestemming gegeven om het u wel te vertellen.'

Tim wachtte ongeduldig af. Al die formaliteiten!

Van Hasselt keek hen somber aan. De ogen spraken al genoeg. Tim hoefde de woorden niet eens te horen. 'Meneer Montiers heeft een zware klap gehad. Tot onze verbazing is hij lichamelijk in orde, op een gebroken arm en wat kneuzingen na.

Mentaal is een ander verhaal. Hij is nog altijd in coma. We kunnen pas iets over zijn toestand zeggen als hij bijgekomen is.'

'Mogen we bij hem?'

Van Hasselt wees naar de deur. 'Eén tegelijk. We weten niet hoe hij omgaat met drukte.'

Emma knikte naar Tim. 'Ga maar, lieverd,' zei ze.

Gilles lag diep weggestopt onder de lakens. Allerlei snoertjes, draadjes en buisjes liepen over zijn lichaam naar verschillende apparaten. Een zwart toestel naast zijn hoofd lichtte zo nu en dan groen op en piepte monotoon. Hij lijkt wel een kermis, dacht Tim wrang.

Aan deze constructie te zien, was er van Gilles niets meer over. Tim hoorde hoe hij ademhaalde. Langzaam en diep.

'Gilles, het spijt me.' In de lege kamer klonk zijn stem extreem luid en hij schrok er zelf van. Tim besloot om zijn mond maar te houden.

Zijn moeder had hem verteld wat er was gebeurd. Ze had een afspraak in Amsterdam, in een restaurant. Gilles reed haar er naartoe. Ze waren samen uitgestapt en Emma vroeg of hij buiten op haar wilde wachten. Haar gesprek duurde een half uur. Juist toen ze weer naar de parkeerplaats liep, klonk er een doffe klap gevolgd door hysterisch gegil.

Toen ze buitenkwam, stonden er allemaal mensen om iemand heen. Dat was Gilles, die doodstil op de grond lag. Niemand had gezien wat er precies was gebeurd, maar het was zeker dat iemand hem had aangereden.

Tim bleef nog een paar minuten staan, aan de rand van Gilles' bed. Zijn hand speelde met de lakens.

Er werd wel eens gezegd dat comapatiënten aanwezigheid kunnen voelen. Daar had het niet veel van weg. De geluiden bleven hetzelfde en Gilles' ogen bleven gesloten. Tim wist niet wat hij anders had kunnen verwachten.

Een jonge verpleegkundige kwam de kamer in. Ze glimlachte naar hem en begon wat beddengoed uit een kast te halen.
'Het is beter als je gaat,' zei ze. 'Ik moet nu het bed van meneer Montiers verschonen. Je kunt later op de dag terugkomen.'
Tim knikte afwezig en verliet de kamer. Zijn moeder sloeg een arm om hem heen. Snikkend liet hij zich door haar meevoeren.

Thuis zette zijn moeder water op voor de thee. Met twee kopjes kwam ze naar de kamer. 'Je zult wel geschrokken zijn,' zei ze.
'Hoe heeft het kunnen gebeuren, heb je al iets meer gehoord?' vroeg Tim.
'De politie denkt dat het een wegpiraat was. Iemand die geparkeerd stond bij het restaurant en er als een haas vandoor ging. Hij is na het ongeluk gewoon doorgereden.'
Tim schudde zijn hoofd. 'Waarom Gilles?'
Ze zuchtte. 'Hij stond midden op de rijbaan toen het gebeurde. Waarschijnlijk was hij op weg naar de auto.'
'Waar is Rony?'
Zijn moeder haalde haar schouders op. 'Geen idee.'
'Hebben jullie ruzie gehad?'
'Waarom vraag je dat?' Ze roerde een klontje suiker door haar thee.
'Ik zag hem gisteren haastig het huis uitkomen en wegrijden. Hij maakte een gespannen indruk.'
Zijn moeder knikte. 'Ik snap wat je bedoelt,' zei ze. 'Het gaat helemaal niet goed met Rony. Het lijkt wel of hij is doorgedraaid. Na de dood van Anthonie is hij als een barbaar tekeer gegaan. En hij laat zich door niemand stoppen.'
'En jij?' vroeg Tim. Hij was nogal verrast over deze verklaring. Hij had gedacht dat ze al die tijd achter Rony stond.
'Ik? Wat is er met mij?'

'Wat ga jij eraan doen? Kun jij niet eens met Rony praten?' vroeg hij hoopvol. Misschien waren haar ogen geopend na wat er met Gilles was gebeurd. Het ging allemaal veel te ver! Dat moest zij toch ook inzien?

Emma schudde haar hoofd. 'Laten we er maar over ophouden.'

'Mam?'

Ze dronk afwezig van haar thee. 'Ja, lieverd?'

'Ik heb laatst met Rony gesproken.' Hij keek naar de grond. Op de een of andere manier voelde hij zich schuldig, maar hij wist niet waarom. Misschien omdat hij iets vertelde wat eigenlijk tussen hem en Rony had moeten blijven. 'Hij heeft me verteld over zijn dochter.'

Zijn moeder keek hem verbaasd aan. 'Heeft hij met jou over Alice gesproken?'

'Ja. Hij heeft me verteld waarom hij altijd zo afstandelijk tegen mij deed.' Hij peilde haar reactie en ging verder. 'Hij vertelde me ook dat jij graag een nieuw leven wilt beginnen.' Tim wist niet of hij er verstandig aan deed om daarover te beginnen. Eens moest het er van komen.

Zijn moeder staarde somber voor zich uit. Ze roerde met haar lepeltje door het kopje thee, ook al was de suiker allang opgelost.

'Een nieuw leven,' zuchtte ze. 'Daar dromen we allemaal wel eens van, Tim. Drink nu maar gauw je thee op.' Ze stond op. 'Ik moet gaan. Een afspraak in de stad.'

Tim knikte.

Ze liep door de kamer naar de deur, terwijl ze zoekend om zich heen keek. 'Heb jij mijn tas soms ergens gezien?'

Tim wees opzij. De tas lag vlak naast hem op een stoel. Ze liep op hem toe, nam de tas en gaf hem een vlugge zoen.

'Dag lieverd, tot vanavond. Als ik niet op tijd terug ben, bak je maar een pizza. Je mag ook een koerier bellen.'

'Ja mam, tot straks.' Hij bleef zitten en bladerde wat in de tv-gids. Toen zijn moeder in de Mercedes was gestapt en hij haar hoorde wegrijden, kon hij een grijns niet onderdrukken. Tevreden keek hij naar de mobiel in zijn hand. Hij had hem zonder probleem uit haar tas gevist. Met zijn vangst ging hij naar zijn kamer.

Het was doodstil in huis. Hij kon de klok boven zijn deur horen tikken en begon er langzaam gek van te worden. Wachten kon soms zo vervelend zijn.

Tegen een uur of vijf hoorde hij een auto het erf oprijden. Hij keek uit het raam en zag tot zijn verbazing een donkergroene Jaguar. Hij kende de auto niet.

Het portier ging open en dat was het moment waarop de puzzelstukjes op hun plaats begonnen te vallen. Het was net als een rij omvallende dominosteentjes, van het een kwam het ander. Ineens begreep hij het allemaal.

Rony.

In een flits haalde Tim het beeld van Rony's BMW voor zich, gisteren toen iets zijn aandacht had getrokken. Hij had Rony er zelf nog naar zien kijken, naar iets bij zijn bumper... Tim zag de auto in herinnering nogmaals voorbij rijden en kon plotseling heel duidelijk zien wat er aan mankeerde. Een van de lampen was kapot.

De Jaguar. Rony had een andere auto.

Je hebt een alibi voor me gekocht! hoorde hij in gedachten Gilles weer roepen. *'Anthonie was te vertrouwen, Rony. Die overlegde dit soort dingen met mij. Als jij dat ook had gedaan, was er nu geen probleem geweest...*

'Wat ben je van plan?

Dat vroeg Tim zich nu ook af. Wat was Gilles van plan geweest? Wat was de reden van de aanrijding?

Wilde hij soms met het hele omkoopverhaal naar de politie?

Was hij van plan geweest om Rony te verklikken? Dat was een heel goede reden om hem het zwijgen op te willen leggen.

Tim voelde zich licht in zijn hoofd worden. Zijn kamer leek heen en weer te schommelen, alsof hij op een schip zat in zware storm. Hij wist het zeker. Rony had Gilles aangereden. Maar dat was niet het enige.

'Rony is gevaarlijk. Hij gaat en staat waar hij wil, zal alles doen om zijn zin te krijgen.

Alles? Ook zijn beste vriend vermoorden?

Vriendschap betekende niets voor Rony Atkinson. Het enige wat voor hem telde was de organisatie, de macht en het geld. Om een einde te maken aan de eindeloze ruzies tussen hem en Anthonie en zijn zin te krijgen in de productie van nederwiet, had hij een moord gepleegd. In koelen bloede. Zijn beste vriend.

Het alibi voor Gilles, besefte Tim ineens, was niet gekocht om de chauffeur een hand boven het hoofd te houden. Nee, Rony had Gilles met opzet een vals alibi verschaft, om hem verdacht te maken en de verdenkingen van zichzelf af te schuiven.

In zijn corrupte systeem waande Rony Atkinson zich veilig. Maar door een stomme misstap had hij zichzelf verraden.

Het was tijd om in actie te komen. Nog één keer in die laptop en Tim kon inspecteur Van Drongen op het goede spoor zetten. En reken maar dat het hem niets meer kon schelen wat die bestanden voor Rony tot gevolg hadden…

Rony zat aan tafel te werken. Hij keek niet op toen Tim binnen-kwam en dat was maar goed ook. Tim wist niet hoe hij zich moest gedragen. Hij stond op het punt Rony weg te lokken en zijn geheimen door te spelen aan de politie. Wat zou Rony doen als hij daar achter kwam?

Tim had nog getwijfeld of hij naar inspecteur Van Drongen of naar zijn moeder moest gaan. Maar zijn moeder was zichzelf niet. Hij moest op safe spelen. Inspecteur Van Drongen was de enige die hem echt kon helpen.

Gilles had de aanslag overleefd en waarschijnlijk was dat niet Rony's bedoeling geweest. Hoe lang zou het duren voor Rony het opnieuw probeerde?

In gedachten zag hij afschuwelijke taferelen. Rony die naar het ziekenhuis ging en Gilles met een kussen liet stikken. Of hem met een overdosis medicijnen vergiftigde. Rony's smerige spelletje moest snel uitgespeeld zijn.

De laptop stond op tafel. Rony zat erachter. Zijn vingers bewogen zich razendsnel over het toetsenbord.

Achter zijn hand hield Tim zijn vinger strak op de knop gericht. Hij wachtte eventjes, haalde diep adem en drukte.

Hij liet de telefoon uit zijn handen op het tafeltje glijden en streek neer op de bank. Het was nu net of de telefoon daar al die tijd had gelegen, zonder dat Rony hem in de gaten had.

Een bekend geluidje kwam van de eettafel. Het getik hield op. Rony haalde zijn mobiel tevoorschijn en klapte die open.

Heb je hulp nodig. Loopt uit de hand. Ben in Amsterdam, Hilton-hotel. Emma. Dat was wat hij las. Tim hoefde het niet te zien, want hij had het berichtje zelf opgesteld.

Rony's reactie liet langer op zich wachten dan Tim had verwacht. Hij schoof zijn stoel naar achteren en stond op. Zijn ogen stonden twijfelend, maar fel. 'Ik ben even weg,' zei hij. 'Blijf jij hier?'

Tim knikte. 'Dat is wel de bedoeling,' zei hij. 'Hoezo?' Hij speelde zijn rol van onwetendheid zo overtuigend mogelijk.

Rony schudde zijn hoofd en gaf geen antwoord. Gespannen luisterde Tim hoe hij zich uit de voeten maakte. Zijn plan scheen te werken...

Een jas die aangetrokken werd, voetstappen door de gang.

Dichtslaande deur. Hij haalde pas opgelucht adem toen hij Rony zijn Jaguar hoorde starten.

Hij had er lang over nagedacht. Hoe kon hij Rony zover krijgen dat hij het huis zou verlaten, maar de laptop liet staan? Door hem in paniek te laten handelen. Een succesformule. Rony was vast niet in paniek geraakt van het idee dat Emma iets kon overkomen, maar wel van het vermoeden dat een mogelijke deal niet doorging. Loopt uit de hand. Rony had zonder meer toegehapt.

Tim haalde diep adem en liep naar de dichtgeklapte laptop. Tim opende het ding en zag dat het scherm nog aanstond. Rony had het niet eens uitgeschakeld. Dollarbiljetten dwarrelden over het scherm.

Tim voerde het wachtwoord in. Alicia, dacht hij. Een naam die hij nooit meer zou vergeten. De dollarbiljetten verdwenen en een bureaublad werd zichtbaar. Op het bureaublad was de skyline van Londen afgebeeld. Had Rony dan toch een beetje heimwee?

Waar was dat programma?

Het bureaublad stond voor de helft vol met pictogrammen, maar weinig die hem bekend voorkwamen. Word, Excel, internet... Maar ook een heleboel anderen. Hij las ze gehaast door. Uiteindelijk vond hij het. In the pocket...

'Daar ga je, Rony,' siste hij. Opgewonden schoof hij de muis door het scherm en wilde dubbelklikken, toen er opeens een geluid klonk.

Een auto!

Tim bevroor ter plekke. Er kwam een auto achterom. Iemand stopte voor het huis en vrijwel gelijk erna kwam nog een auto het erf oprijden! Tim zag zijn plan in rook opgaan en wist niet meer wat hij moest doen. Zonder erbij na te denken sloeg hij de laptop dicht en haastte zich terug naar de bank.

Opengaande deur. Voetstappen. Naaldhakken, en nog iemand. Stemmen op de gang.

Tims hart bonkte in zijn keel.

'… zei toch al dat ik mijn mobieltje niet bij me heb?' Zijn moeder.

'Hoe kan het dan dat je om hulp vraagt?' Rony.

Ze kwamen de woonkamer binnen. Tim voelde zijn gezicht rood worden. Hij beet zijn kiezen op elkaar, wilde het rood uit zijn gezicht persen maar maakte het alleen maar erger.

Rony keek verward om zich heen, van de dichtgeslagen laptop naar Tim. Daarna wendde hij zich tot Emma. 'Wie weet nog meer dat jij in het Hilton was?'

Zijn moeder zweeg. Tim keek op. De ogen van Rony boorden zich diep in de zijne. Tim voelde het rood zich over zijn hele lichaam verspreiden. Had Rony hem door?

Op dat moment ging de telefoon.

Het geluid sneed door de kamer. Tim keek opgelucht naar het toestel. Saved by the bell? De ogen van Rony hadden hem echter niet losgelaten.

De telefoon ging nog een keer over. Zijn moeder stond naast Rony en doorzocht haar tas, druk op zoek naar het mobieltje dat nog steeds op het tafeltje lag. Tim durfde er niet naar te kijken, bang dat ze het zou ontdekken en zou zien dat het berichtje inderdaad met haar telefoon was verzonden. Dan zou helemaal duidelijk zijn wie het berichtje had opgemaakt…

Rony bleef hem kil aankijken. Zijn ogen lieten hem geen seconde met rust. Hij knipperde niet eens met zijn ogen. Wat ging Rony doen als hij erachter kwam? Wist hij het? Had Tim zichzelf verraden? Hij kon niet anders dan terugkijken.

De telefoon ging voor de derde keer.

'Pak je de telefoon nog of hoe zit dat?'

Tim zuchtte onopvallend. Hij keek Rony met grote ogen aan,

knikte en stond trillend op. Onhandig struikelde hij naar het bij-zettafeltje en trok de hoorn naar zich toe. 'Tim Verdonkert.' Hij deed zijn best zijn stem onder controle te houden, maar de spanning sloeg op zijn keel.

'Goedenavond, je spreekt met rechercheur Van Drongen.' Ook de stem aan de andere kant klonk gespannen.

'Hallo.' Tim keek naar Rony.

'Is je moeder thuis?'

'Momentje.' Tim hield zijn hand tegen de hoorn en keek naar zijn moeder. Rony keek hem wantrouwend na.

'Mam? Het is voor jou.'

Zijn moeder kwam op hem aflopen. Ze gaf hem een schouder-klopje en nam de hoorn over. Ze had helemaal niets in de gaten van de koude oorlog die tussen hem en Rony speelde.

'Emma Verdonkert.'

Stilte.

Tim zag haar fronsen, waarschijnlijk toen ze hoorde wie er aan de lijn was.

'Ja, die is hier…' Ze sprak zachtjes en spiedde over haar schou-der. 'Wat zegt u?'

Rony keek nu naar haar. Hij zweeg, maar zijn ogen fonkelden. Het was net of hij iets op het spoor was.

Tim kon er niets aan doen, maar zijn hart ging als een achter-lijke tekeer. Hij bleef naast zijn moeder staan, want hij wist zich geen andere houding te geven.

Rony keek nog steeds naar zijn moeder.

Emma voelde Rony kijken, draaide zich om en schudde haar hoofd. Ze knikte naar Tim. Alsof ze tegen Rony wilde zeggen 'het gaat niet over jou'.

'Goed, dat lijkt me prima… dag hoor.' Ze drukte de telefoon uit en zette hem terug.

'Wie was dat?' vroeg Rony. Hij stond te ver weg om te zien dat Emma lijkbleek was weggetrokken.

'Iemand van school.' Ze richtte zich tot Tim. 'Ik geloof dat ik je even onder vier ogen wil spreken,' sprak ze ernstig.

Tim voelde dat er iets niet klopte. Wat had Van Drongen met school te maken?

'Loop maar even met me mee.' Ze liet zijn blik geen moment los.

Tim voelde Rony's ogen in zijn rug prikken tot ze de kamer uit waren.

'School?' vroeg Tim toen ze op de gang waren. Hij deed zijn best om zijn stem weer onder controle te krijgen en te fluisteren. Hij had zo het idee dat het beter was als Rony dit niet hoorde. 'Wat heeft die man met school te maken? Trouwens, het is zaterdag.'

Zijn moeder schudde haar hoofd. Ze keek nerveus over haar schouder naar de kamerdeur. Ze probeerde ook zo zacht mogelijk te praten. 'Maak dat Rony maar wijs. Ik moet dringend weg, Tim. Rechercheur Van Drongen wil me spreken bij de kwekerij.' Ze sprak de woorden stuk voor stuk uit. 'Rony mag van niets weten. Als hij ernaar vraagt zeg je dat ik naar school ben. Afgesproken?'

'Waarom?'

'Niet nu. Is dat afgesproken? Ik heb je hulp echt nodig, lieverd.'

Wat was er allemaal aan de hand? Tim werd doodsbang van haar. Er was iets niet in de haak. Ze ging niet voor niets met inspecteur Van Drongen praten. En dan nog wel op zo'n vreemde plaats. Waarom de kwekerij en niet gewoon het politiebureau?

'Ga dan nu naar je kamer en doe net of je druk met school bezig bent. Rony mag echt van niks weten.'

Hij knikte. Toch kon hij de angstgevoelens niet van zich afzetten. Liet ze hem nu alleen, terwijl Rony in de woonkamer zat? Emma gaf hem een kus op zijn voorhoofd. Ze liep naar de woonkamer. Toen ze de deur opende keek Rony haar ijskoud aan vanaf de tafel. Tim schrok ervan hoe dichtbij hij stond. Had Rony hen staan afluisteren? Hij keek angstvallig naar zijn moeder.

'Ik ben er even vandoor,' stamelde Emma zo kalm mogelijk. Toch klonk er een trilling in haar stem.

Rony bromde iets en maakte geen aanstalten om haar tegen te houden. Zijn ogen waren weer op Tim gericht. Rony kwam zijn kant uit.

'Ik ga naar boven,' bracht Tim uit. Er liep een onaangename rilling over zijn rug. 'Ik moet nog wat doen voor mijn werkstuk.' Alsof hij Rony verantwoording schuldig was.

De voordeur sloeg met een klap achter zijn moeder dicht.

Ik ben alleen met hem, ging het door Tim heen. Alleen met Rony Atkinson…

Rony bleef hem aankijken, maar knikte. Daarna draaide hij zich om en liep terug naar de woonkamer. Tim keek hem na en slikte toen Rony achter de laptop ging zitten.

Hij draaide zich om en sloop naar boven. Tim wist niet precies wat er aan de hand was, maar hij besefte goed genoeg dat het alles met Rony te maken had. Had Van Drongen hem ook ontmaskerd?

Een minuut later, toen hij op zijn kamer zat en het wat rustiger werd in zijn hoofd schoot hem plotseling iets te binnen, waarvan zijn bloed begon te koken. De schrik sloeg hem om het hart toen hij het telefoongesprek nog eens afdraaide. De stem aan de andere kant van de lijn had opgenomen met 'rechercheur Van Drongen'. Maar Van Drongen was helemaal geen rechercheur, die was inspecteur!

15

Hoewel hij er pas één keer was geweest, wist hij goed hoe hij fietsen moest. De rit met de auto duurde ongeveer vijftien minuten. Tim had het gevoel dat hij er niet veel langer over deed. Bovendien was het korter, omdat een fietspad dwars door de polder liep. De adrenaline gierde door zijn lijf en had hetzelfde effect als benzine in een auto.

Tim fietste buiten adem het terrein op en zette zijn fiets achter een hoge boom. Hij gunde zich amper de tijd om op adem te komen. Zijn moeder was in gevaar.

Er brandde licht in de achterste kas. Voor de kwekerij stond één auto, die van zijn moeder.

Hij sloop vluchtig om de kas heen, om te ontdekken waar hij zijn moeder kon vinden, toen hij koplampen zag en een tweede auto het terrein opdraaide.

Tim verschool zich vlug achter de boom en keek niet achterom. Dat durfde hij niet.

Het portier ging open, hij hoorde iemand uitstappen. De deur werd met veel kabaal dichtgeslagen. Even was het stil. De persoon scheen de omgeving te inspecteren. Al snel weerklonken zijn voetstappen tot ze weg ebden in de richting van de kwekerij.

Mooi. Tim was dus op tijd.

Hij haalde een paar keer diep adem. Hij vervloekte zich erom dat hij zijn telefoon thuis had laten liggen. In de haast was hij die – samen met zijn jas – vergeten. Net als het mobieltje van zijn moeder.

Hij sloop om de auto's heen naar de ingang van de kwekerij. Het was er pikkedonker. Tim had tijd nodig om zijn ogen aan de duisternis te laten wennen. Hij spitste zijn oren, maar hij hoorde niets. Zijn moeder en de man die zich voordeed als Van Drongen hadden elkaar hopelijk nog niet gevonden.

Nu was het zaak dat hij haar eerder vond.

Tim moest goed uitkijken dat hij niet tegen een van de bakken met aarde aan liep. Als zo'n ding op de grond viel zou het een hels kabaal maken. Dan kon hij het zelf ook wel schudden.

Hij bukte en schuifelde voorzichtig tussen de bakken door. Aan het eind was een dubbele deur, waarachter een tweede kas begon. Tim herinnerde zich dat er in feite drie grote bouwsels waren die in vier kassen waren gedeeld. Hij moest de achterste hebben, want daar had het licht gebrand.

Misschien had hij daarop een voorsprong. Hij kende de weg een beetje. Als de vreemdeling een keer linksaf sloeg, liep hij verkeerd. Hoewel het alleen maar een kwestie was van het licht volgen.

Voorzichtig sloot hij de deur achter zich.

Hij was in de derde kas en aan het eind ervan zag hij een strook licht onder de deur door komen. De dubbele deur stond op een kier.

Toen hij er heen liep zag hij zijn moeder staan. Ze stond met haar rug naar hem gedraaid. Tim merkte aan haar hele houding dat ze gespannen was. Het leek wel of ze trilde.

'Jij bent Van Drongen niet,' hoorde hij haar stamelen.

Tim legde zijn oog tegen de deur en spiedde naar binnen. De nieuwkomer had haar dus al gevonden.

Vanuit de duisternis tussen twee hoge planten kwam een hees gegrinnik. Wie hield zich daar verborgen? Tim kon het niet zien, omdat het te donker was.

'Waarom heb je me laten komen?' Emma's stem trilde.

Tim vond het verschrikkelijk om zijn moeder zo angstig te zien. Hij was vastbesloten haar te redden. Al was het maar door haar belager te verassen. Maar wat dan? Wie weet had die een pistool bij zich…

Waarom was het toch overal zo pikkedonker? Hij had een wapen nodig, iets om zich mee te kunnen verdedigen. Al was het maar de poot van zo'n ijzeren bak waarmee hij de belager tot moes kon meppen mocht dat nodig zijn.

Maar door de duisternis kon hij het wel schudden. Op de tast vond hij niet veel meer dan een glibberige kamerplant met stekels en handenvol modder.

Hij veegde zijn handen af aan zijn broek en duwde de dubbele deur voorzichtig open. Met ingehouden adem wurmde hij zich door de nauwe opening en verbog zich achter twee plantenbakken. Hier – in de achterste kas – brandde volop licht. Zijn moeder en de vreemdeling waren een paar meter bij hem vandaan. Hij had geluk dat er zoveel schaduw was vanwege die hoge planten, anders had de man hem misschien wel binnen zien komen.

Tims ogen prikten van het licht. Hij knipperde een paar keer en liet zijn blik door de ruimte glijden. In de hoek zag hij iets staan. Het was een lange buis met een puntig uiteinde. Een grote fles zat eraan vast. Op de fles zat een zwarte stikker met een paars doodshoofd. 'Onkruidverdelger', ontwaarde hij.

Tim dacht er niet lang over na. Hij moest iets hebben. Alles was beter dan zijn moeder in de steek laten. Hij wilde niet dat ze bang was. Hij wilde dat ze zich veilig voelde. Als hij zou blijven toekijken, werd hij vast gek van angst om wat er met haar zou gebeuren.

De onkruidverdelger was een paar meter bij hem vandaan. Op zijn knieën kroop hij er naartoe. De fles voelde zwaar aan, maar was wel te tillen. Als het nodig was zou hij de man ermee in zijn ogen spuiten.

'Mevrouw Verdonkert,' zei de man smalend, 'ik ben blij dat u toch gekomen bent. Ik was even bang dat u mijn stem zou herkennen.'

Tim boog zich voorover en tuurde tussen de bakken met planten door. Zijn moeder stond nog steeds met haar rug naar hem toe. Ze hield een van haar handen op haar rug en balde er nerveus een vuist mee.

Geritsel weerklonk toen de gestalte zich uit de planten losmaakte. Tim liet de fles onkruidverdelger bijna vallen. Vol verbazing keek Tim naar rechercheur Grindbudel, die met een pistool uit de duisternis tevoorschijn kwam. Zijn zwarte haar zat door elkaar en hij droeg nog steeds zijn groene speurdersjas, al hing die nu open.

'Grindbudel,' stamelde ze. 'Waarom heb je me laten komen?'

De rechercheur grijnslachte als een beest. 'Omdat ik met een probleem zit,' antwoordde hij koel. 'Een heel groot probleem.'

Er klonk een klik. Grindbudel trok de veiligheidspal van het pistool naar achteren, zodat het wapen gereed was om te schieten. Tim kreeg de rillingen toen hij dacht aan het bestand in Rony's laptop. Rechercheur Grindbudel was een wapenfreak. Was dit het gestolen wapen uit Polen? Tim ging er niet vanuit dat de rechercheur zijn dienstwapen hiermee naartoe had genomen. Niet als hij van plan was het te gebruiken…

Hij had geen tijd om er over na te denken. Hij had alle aandacht nodig. De zenuwen gierden door zijn lijf, maar hielden hem op de been. Hij moest ingrijpen, maar niet zolang Grindbudel het pistool op haar gericht hield. Daarmee zou hij het alleen maar erger maken.

'Die collega van me, die nog maar pas is afgestudeerd, is slimmer dan ik dacht. Hij kwam erachter dat ik het onderzoek saboteerde. Allemaal door die vervloekte chauffeur van jullie…'

'Heb jij Gilles aangereden?'

Grindbudel schudde zijn hoofd. 'Nee, dat heb ik niet gedaan.' Hij klonk oprecht. 'Maar ik ben de persoon die het op zijn

geweten heeft, zeer dankbaar. Hij heeft een hoop schade ver-
oorzaakt.'

Rony heeft Gilles aangereden, dacht Tim. Maar wat heeft
rechercheur Grindbudel hier dan allemaal mee te maken? Wat
doet die man hier?

'Gilles Montiers kwam donderdag, de dag voor zijn aanrijding,
laat in de avond op het politiebureau. Hij wilde een gesprek met
Van Drongen. Ze zijn in een verhoorkamer gaan zitten. We
hebben een intercom, dus ik heb vanachter de schermen mee
kunnen genieten.' Grindbudel grinnikte weer. 'Op het moment
dat meneer Montiers was uitgesproken, wist mijn collega
genoeg. Het is voldoende om me de gevangenis in te laten
draaien. Rony chanteerde me. Ik kon niet anders dan dat alibi
van meneer Montiers ontzien. Montiers is het nota bene zelf
komen vertellen! Dankzij hem is het dubbelspel dat ik jarenlang heb gespeeld naar buiten gekomen. Nu weet Van Drongen
dat ik door de onderwereld gedwongen werd hen te helpen. Als
ik hem zijn gang laat gaan, is er binnenkort niets meer van me
over.'

'Wat ben je van plan?'

'Van Drongen is de enige die ervan weet, samen met jou en
Rony.' Grindbudel keek naar de grond. 'Ik heb al meerdere
mensen neergeschoten, mevrouw Verdonkert. Meermaals voor
mijn werk en ik ben er niet voor gestraft, maar spijt heb ik er
ook nooit van gehad. Ze hebben het allemaal overleefd.
Jammer, want het was crapuul. Ik zou er ook geen spijt van
hebben als ze het niet hadden overleefd. Vandaar dat ik u hier-
heen heb laten komen. Ik wil mijn werk afmaken en mijn carrière redden.'

Hij hief zijn hand op met het pistool.

'Jij bent zelf uitschot, Grindbudel,' zei Emma, maar haar stem
trilde. 'Je hebt me in de val gelokt, door te doen of Rony meer

van de moord op Anthonie wist. Smerige hond die je bent.'

Tims hart schoot naar zijn keel. Van zijn zelfverzekerde houding was niets meer over. Hij zat verlamd van angst aan de
grond genageld. Grindbudel stond op het punt om zijn moeder
neer te schieten!

Hij moest iets doen, maar wát?!

Tim haalde diep adem en trok de fles dichter tegen zich aan.
Terwijl hij de rechercheur aankeek, voelde hij zich draaierig.
Durfde hij het? Durfde hij zomaar op te springen om hem uit
te schakelen?

Zou het hem wel lukken?

Zijn moeder bleef verdacht rustig. Hoewel ze over haar hele
lichaam rilde, zei ze: 'Denk je nu echt dat je hiermee gaat weg-
komen? Hoe wilde je dat doen? Rony is heus niet achterlijk, die
laat zich door jou niet vermoorden.'

Grindbudel grijnsde. 'Mij kun je niet ompraten,' siste hij.

Tim knipperde met zijn ogen. Zijn vingers speelden met de fles
onkruidverdelger. Hij oefende alvast met het opendraaien van
het kraantje. Er was ongeveer tien meter afstand tussen
Grindbudel en hem. Zou hij dat redden?

Tim stond op het punt om overeind te springen...

Maar Emma was niet van plan om zich door Grindbudel te
laten neerschieten. Tim keek verlamd van angst toe hoe ze
ineens als een kat op hem afschoot. Haar hand uitgestrekt naar
het wapen.

Grindbudel was te laat met zijn reactie. Ook hij was overrom-
peld en had zich vergist in haar overlevingsdrang. Worstelend
duwde zijn moeder Grindbudel tegen de grond.

De rechercheur schreeuwde. 'Ga van me af!' gromde hij. Het
pistool kletterde op de grond.

Emma kroop over het lichaam van de rechercheur heen en
klauwde naar het wapen. Ze kreeg het te pakken, maar een

hand schoot uit en greep haar pols. Grindbudel trok het pistool naar zich toe en het verdween ergens tussen hen in.

Tim kwam overeind. Zijn lichaam tintelde, alsof er duizenden speldenknoppen in hem werden geprikt. Met open mond keek hij naar de worsteling die plaatsvond. Emma gilde en rechercheur Grindbudel schreeuwde en vloekte.

Zijn moeder haalde uit en sloeg Grindbudel voluit in zijn gezicht. De rechercheur rolde zich op zijn zij en wierp haar woest van zich af. Emma klauterde als een kat overeind en stortte zich met slaande bewegingen opnieuw op Grindbudel.

Tim trok de onkruidverdelger tegen zich aan en wilde de spuit opendraaien.

Op dat moment klonk een luid schot.

De worsteling stopte abrupt.

Het tintelende gevoel drong door tot in Tims keel en probeerde hem zijn adem te ontnemen. Ontsteld keek hij naar de lichamen die op de grond lagen. Zijn hart leek te stoppen met tikken. Alle angst hield hem in een ijzige greep.

Wie van de twee was geraakt?

Laat het de rechercheur zijn, smeekte hij. Laat het alsjeblieft Grindbudel zijn!

Toen pas ontdekte hij dat er een nieuwkomer was. Rony Atkinson stond in de deuropening. In zijn hand hield hij het pistool waarmee hij geschoten had.

16

Tim kon de wind om de kwekerij horen loeien. Hij keek ontzet van Rony naar de twee levenloze lichamen op de grond. De tijd leek haar adem in te houden. Door de worsteling had hij helemaal niet gehoord dat Rony hier was aangekomen.

Op de grond lagen zijn moeder en rechercheur Grindbudel. Een van hen was geraakt door Rony's kogel. Maar wie?

Het leek een eeuwigheid te duren, maar eindelijk kwamen de lichamen in beweging.

'Laat dat wapen op de grond liggen,' zei Rony. Het pistool wees nog steeds naar zijn moeder en Grindbudel. Tim wist niet op wie van de twee hij het richtte. Grindbudel had aanstalten gemaakt om zijn eigen pistool weer op te rapen. Het lag hooguit twee meter bij hem vandaan.

Tim stelde opgelucht vast dat rechercheur Grindbudel geraakt was. De man kwam moeizaam overeind en hield zijn hand tegen zijn schouder geklemd. Het zag ernaar uit dat Rony een gericht schot had afgevuurd.

Het verlammende gevoel gleed als een mantel van hem af. Maar de angst bleef. Zijn moeder was nog niet in veiligheid. Rony was gearriveerd.

'Atkinson,' beet Grindbudel hem voor. 'Jij vuile hond.' Hij tufte op de grond voor Rony's voeten.

Rony keek hem met samengeknepen ogen aan. Hij vond het niet nodig om antwoord te geven. Met het pistool in zijn handen had hij alle macht. Hij kon doen en laten wat hij wilde, precies zoals hij dat graag had.

'We gaan maar eens het een en ander ophelderen,' vond hij. 'Grindbudel, wat heb je haar verteld?'

De rechercheur strompelde naar achteren en leunde zwaar op

een van de bakken met aarde. 'Ik heb een dokter nodig,' kermde hij.

'Heb jij Gilles aangereden?' vroeg Emma ijzig aan Rony. Doordat ze gedraaid stonden kon Tim het gezicht van zijn moeder zien. Ze was lijkbleek en keek angstig naar het pistool in Rony's handen, dat op de rechercheur gericht was.

Wat was Rony van plan? Aan wiens kant stond hij? Betekende het feit dat hij het pistool op Grindbudel richtte, dat hij aan haar kant stond? Of speelde hij weer een van zijn smerige spelletjes?

Rony had hen dus wel staan afluisteren, thuis. Was hij Emma achterna gegaan om haar en inspecteur Van Drongen te vermoorden, om wat ze wisten? Wilde hij zijn eigen hachje redden?

Als dat zo was, moest het voor Rony ook een verrassing zijn geweest dat Grindbudel hier was.

Tim stond nog steeds met de fles onkruidverdelger aan de kant. Niemand zag hem in de donkerste hoek van de ruimte staan.

'Het spijt me, Emma,' stamelde Rony. 'Ik kon niet anders.'

Emma keek hem vol ongeloof aan. 'Je kon niet anders? Hoe bedoel je, 'ik kon niet anders'?'

'Gilles dreigde me aan te geven bij de politie. Donderdagavond vertelde hij me dat hij naar de politie zou stappen...'

Tim zag in een flits het gesprek tussen Rony en Gilles voorbij komen, de avond dat hij op zijn kamer had gezeten. Hij had ze gehoord, eerst in de gang, toen buiten. Hij had alles kunnen volgen, tot ze in de auto waren gaan zitten...

'Dat kon niet. Dat mocht hij niet doen, niet na wat ik voor hem heb gedaan. Ik heb er een nacht over liggen piekeren en besloten dat het beter was als ik hem een tijdje uit de roulatie zou halen. Hoe kon ik weten dat hij diezelfde donderdagavond nog bij Van Drongen was geweest?'

'Je hangt, Atkinson,' beet Grindbudel hem toe. 'Je hebt hem vrijdag pas aangereden, maar toen was het al bekend. Je was te láát! Ze weten dat je me hebt omgekocht. Je hangt aan de hoogste galg.'

'Jij ook, Ernst,' zei Rony. 'Ik heb namelijk net gebeld met je collega, omdat ik het telefoontje dat Emma kreeg niet helemaal vertrouwde. Ze moest er ineens als een haas vandoor en leek zelfs bang voor mij te zijn. Het was net of iemand haar in de val probeerde te lokken. Geloof me, ik ken die situaties goed genoeg. Daarom heb ik Van Drongen gebeld en ik vertrouwde het helemaal niet meer toen ik hoorde dat hij haar niet eens gebeld had.'

Grindbudel hield krampachtig zijn schouder vast en keek Rony vuil aan.

'Maar er was meer wat hij me wist te vertellen,' zei Rony. 'Doordat het alibi van Gilles aan het licht kwam, is Van Drongen de afgelopen dagen zelf op onderzoek uitgegaan. In jouw flat heeft hij verdorie die foto's gevonden, die chantagefoto's. Jij hebt jezelf de das omgedaan in je slordigheid.'

Grindbudel haalde zijn schouders op, alsof het hem niets deed. 'Dan ga jij net zo goed de gevangenis in. Op chantage staan hoge straffen.' Hij grijnsde, ondanks de pijn. 'Zeker als het iemand van de politie betreft.'

'Het waren niet míjn foto's, Ernst. Ik zal niet ontkennen dat ik je gechanteerd heb met die foto van dat gestolen wapen en de kiekjes met Alexander Poetjenkov. Inspecteur Van Drongen heeft andere foto's gevonden. Namelijk die je van Anthonie hebt gekregen.'

De mond van de rechercheur viel wagenwijd open. 'N-nee,' stamelde hij. 'Je liegt.'

Rony keek hem ijskoud aan. 'Ik lieg nooit,' siste hij. 'Je bent er gloeiend bij.' Rony's stem sloeg over. 'Anthonie chanteerde je namelijk ook al. Al sinds je hem aanhield bij die Kroaat, toen ze hem in de val hebben laten lopen, heeft Anthonie je laten volgen. Hij had een hele database met chantagemateriaal over je verzameld. En ík sta overal buiten.'

Rechercheur Grindbudel keek somber voor zich uit. Hij liet zich plotseling op de grond vallen en drukte met beide handen op zijn schouder, in een poging het bloeden te stoppen. Ondertussen kermde hij van de pijn.

'Ik heb alles na kunnen lezen in zijn computer,' ging Rony verder. 'Anthonie verlangde veel van je. Eerst wilde hij dat je een vriend van hem vrijliet, vervolgens moest de havenpolitie een oogje dichtknijpen om een uitzonderlijke lading drugs uit Tunesië door te laten. Hij wilde zelfs dat je hem op de hoogte hield van alle onderzoeken die op het bureau gedaan werden naar concurrenten.'

'Het was teveel,' stamelde Grindbudel.

'Dat kan ik me voorstellen,' antwoordde Rony. 'Hij buitte je uit. Zo erg dat er bij justitie gesproken werd over een lek. De politie van Amsterdam kwam in een slecht daglicht te staan, door jouw toedoen. Jij bent het lek naar de onderwereld, Ernst. En binnen zeer korte tijd zal iedereen dat weten...'

Tim stond met de onkruidverdelger in zijn handen naar het verhaal te luisteren. Verbijsterd. De chantagedatabase was niet alleen van Rony, maar ook van zijn vader geweest!

Op dat moment kon hij zich een beetje voorstellen hoe Grindbudel zich moest voelen. Als hij niet deed wat van hem gevraagd werd, zouden al zijn geheimen op straat komen te liggen. Het was vast niet gemakkelijk om een misdadiger vrij te laten, de havenpolitie op het verkeerde been te zetten en ook nog eens gevoelige informatie te bemachtigen.

'Waarom heb je het gedaan? De Kroaten hebben je toch ook gebruikt?'

'Die hebben me betaald,' antwoordde Grindbudel. 'Ik verdiende als rechercheur te weinig om mijn gokschulden af te betalen. Toen die Kroaten me het voorstel deden, kon ik niet weigeren. Ik had schulden bij ze.' Hij hoestte en kroop iets naar voren. 'Anthonie betaalde me niet. Als ik niet deed wat hij wilde, zou het afgelopen zijn met me. Anthonie was in staat mijn hele carrière te ruïneren.'

'En daarom heb je hem vermoord.' Rony klonk kil, vol ingehouden woede. Het pistool in zijn handen trilde lichtjes onder de drukkende emoties. 'Mijn allerbeste vriend is vermoord door een rechercheur.'

Emma keek met grote ogen naar rechercheur Grindbudel, die op de grond zat. Ze was sprakeloos. Grindbudel had alleen aandacht voor zijn schotwond en stootte nog steeds pijnlijke kreungeluiden uit.

Tim voelde de grond onder zich wegzakken. Rechercheur Grindbudel, flitste het door hem heen. De moordenaar was al die tijd in de buurt geweest en niemand had het gemerkt. Zijn vader was vermoord door een rechercheur!

'Hoe heb je het gedaan, Ernst?' wilde Rony weten.

'Het was simpel,' antwoordde Grindbudel, terwijl hij moeizaam overeind ging staan. 'Anthonie belde me op. Hij wilde gegevens hebben over een Kroaat. Ik had het ermee gehad. Toch maakte ik een afspraak met hem, 's middags om een uur of vier, op een leegstaand industrieterrein in Amstelveen. Daar spraken we wel vaker af.'

'Maar je bezorgde hem niet de gegevens,' maakte Rony het verhaal af. 'Je schoot hem dood.'

Grindbudel knikte. 'Er was niemand te zien op dat terrein. Ik liet hem doorrijden tot hij achter een groot kantoorpand stond met zijn auto en vanaf de weg niet meer in het zicht was. Toen ben ik tevoorschijn gekomen. Je had zijn kop moeten zien…'

Rony keek hem nijdig aan en haalde uit om Grindbudel met het pistool in zijn gezicht te slaan. Maar op hetzelfde moment schoot Grindbudels arm naar voren en omsloot Rony's pols. Hij rukte het pistool uit Rony's hand en richtte. 'Dat was ontzettend stom van je, Atkinson.'

Rony wreef over zijn pijnlijke hand. Zijn ogen waren op Grindbudel gericht, die neerknielde en zijn wapen pakte. 'Toch geef ik de voorkeur aan mijn eigen blaffer,' zei hij. Het pistool van Rony liet hij in zijn jaszak glijden. 'Er is veel moeite gedaan om het uit Polen te krijgen.' Met één hand hield hij zijn pistool vast, de ander drukte hij stevig tegen de bloederige schotwond.

Emma keek geschrokken naar het pistool. Ze had de onthulling van de rechercheur nog niet kunnen verwerken en scheen nauwelijks te beseffen wat er allemaal gebeurde.

Tim staarde verstard van angst toe. Rony was zomaar overmeesterd. In het korte moment dat hij zijn emoties had laten zien, was het helemaal misgegaan. Door de mep die hij Grindbudel had verkocht, waren de rollen ineens drastisch veranderd. Zou Grindbudel zijn werk alsnog afmaken? Ook Tim had intensief naar het verhaal geluisterd en was de realiteit enigszins uit het oog verloren. Nu kwam alles terug.

Het stond vast dat hij iets moest doen. Anders waren ze er alledrie geweest. Hoelang zou het nog duren voor Grindbudel hem achter in de ruimte zag staan?

'Geef me je autosleutels, Atkinson. En snel een beetje.' Grindbudel zwaaide met het pistool om zijn woorden kracht bij te zetten.

'Je zult niet ver komen,' antwoordde Rony. Hij hield zijn pijnlijke hand stevig vast. Zijn gezicht was vertrokken van woede en haat. 'Van Drongen en zijn mensen zijn al onderweg.'

'Speel geen spelletjes met me, Atkinson.' Grindbudel stuurde het pistool een andere kant uit en trok Emma tegen zich aan.

Hij zette het pistool tegen haar hoofd. 'Geef me de sleutels. Ik wil niet dat je me achterna komt.'

Mama, dacht Tim. Zijn hart schoot naar zijn keel. Waarom kon hij zich niet bewegen? Was hij nu te laat?

Rony stak zijn handen in zijn broekzak en haalde de autosleutels tevoorschijn.

Grindbudel keek leep naar Emma. 'Jullie hebben geluk dat ik je laat leven,' siste hij, terwijl hij haar van zich afduwde. 'Mij zie je nooit meer terug.'

Op dat moment weerklonken sirenes. Auto's kwamen bij de kwekerij tot stilstand. Door de raampjes flikkerden de blauwe zwaailichten fel op.

'Te laat,' mompelde de rechercheur. Hij had op het punt gestaan om via de hoofduitgang naar buiten te gaan, maar besloot toch om te lopen.

Hij strompelde door de gang naar de deur waardoor Tim binnen was gekomen. Emma bleef machteloos staan. Rony trok haar tegen zich aan en bekeek haar van top tot teen. 'Is alles goed met je?'

Tim keek Grindbudel ingespannen aan toen hij zijn kant uit kwam lopen. Hij moest voorkomen dat de rechercheur wegkwam. Hij moest ingrijpen. Om zijn moeder te helpen, en Rony. Maar vooral voor zijn vader.

Grindbudel kreeg hem eindelijk in de gaten. Onder het lopen ging zijn mond open van verbazing. Hij kwam abrupt tot stilstand. 'Wat doe jij hier?'

Tim klemde zijn kaken opeen. De opgekropte woede barstte in hem los.

'Mooi niet dat jij mijn uitweg verspert,' zei Grindbudel op boze toon. 'Ik laat me niet tegenhouden door een puber!' Hij richtte het pistool op Tim en kromde zijn vinger om de trekker.

Maar hij was te laat.

In een fractie van een seconde zette Tim de verdelger aan en richtte de spuit op Grindbudels gezicht. Een straal stinkende zooi kwam uit de fles.

'Aaarrghh!' Rechercheur Grindbudel schreeuwde het uit. 'Haal weg, haal weg,' kermde hij.

Verbeten sloeg Tim het pistool uit zijn handen en duwde de rechercheur tegen de grond. De fles onkruidverdelger liet hij los. Hij kon zich niet meer inhouden en begon wild op Grindbudel in te slaan. 'Moordenaar!' riep hij. 'Moordenaar! Jij hebt mijn vader vermoord...!'

Datzelfde ogenblik werden de deuren van de kas woest ingetrapt. Van alle mogelijke kanten werden ze bestormd.

Gewapende agenten begaven zich in de ruimte.

'Politie! Handen in de lucht!'

'Geen beweging!'

Emma en Rony keken allebei ontsteld naar Tim, die de fles weer op wilde pakken om ermee op Grindbudel in te rammen. 'Dat is voor mijn vader, klootzak,' siste hij. Hij wilde Grindbudel een mep met de fles verkopen, maar twee handen trokken hem bij de moordenaar vandaan.

Inspecteur Van Drongen stapte uit de donkere nacht tevoorschijn. Hij liep regelrecht op Grindbudel af, die door twee mannen in de boeien was geslagen. 'Ernst Grindbudel, ik arresteer u voor de moord op Anthonie Verdonkert. U hebt het recht om te zwijgen.' Van Drongen schraapte zijn keel en boog zich dichter naar de rechercheur. 'Het ziet er naar uit dat we met u de rotte appel te pakken hebben.'

Grindbudel keek hem venijnig aan toen hij werd weggevoerd.

'Lieverd,' zei zijn moeder. Ze kwam met open armen op Tim af en omhelsde hem. 'Wat doe jij nou hier? Jij had hier helemaal niet moeten zijn.'

Van Drongen liep door naar Rony. 'Meneer Atkinson, bedankt

voor uw telefoontje. Maar ik dacht dat we hadden afgesproken dat u thuis zou blijven?'

'Als ik thuis was gebleven, had hij nog een slachtoffer – of misschien zelfs twee – gemaakt.'

Van Drongen knikte. 'Het zij zo. U begrijpt wel dat we u nog het een en ander willen vragen? Onder andere omtrent de aanslag op meneer Montiers?'

Rony zuchtte. 'Ik loop dadelijk met u mee,' zei hij. 'Ik sta tot uw beschikking.'

Emma besteedde geen aandacht aan wat er om haar heen gebeurde. Ze trok Tim stevig tegen zich aan. Ondanks dat de zaak helder was, voelde Tim zich niet zo opgelucht als hij had gehoopt. Dat zijn vader om zo'n reden de dood had moeten vinden, viel hem zwaar. Hij kon er niet omheen dat het toch zijn eigen schuld was geweest.

Zijn moeder liet Tim los en keek hem met een trotse glimlach aan. 'Wil je me nooit meer zo aan het schrikken maken?' vroeg ze.

17

Het was snikheet op het balkon. Tim keek uit over de straat, een paar meter beneden hem. Het was een van de duurste winkelstraten in San José.

Vlak naast hem was een enorme palmboom, die met zijn bladeren voor een fijne schaduw zorgde. Tim bleef zolang mogelijk in die schaduw zitten, al maakte het weinig uit. De hitte was overal. Het was hier zoveel anders dan thuis. Alles was veranderd.

Hij keek naar de brief die hij aan het schrijven was.

Beste Sam,

Het spijt me dat ik zolang niks van me heb laten horen. Het is inmiddels twee weken geleden dat mijn moeder en ik uit Amsterdam zijn vertrokken. We zijn nu in Costa Rica, in Midden-Amerika. We verblijven tijdelijk in een motel in de hoofdstad.

Misschien heb je in het nieuws gehoord of in de krant gelezen wat er gebeurd is. De moordzaak is opgelost. Een corrupte rechercheur is de dader. Ik ga je niet vertellen hoe we daar achter zijn gekomen, maar het is dankzij Rony dat de dader is opgepakt. Het had weinig gescheeld of hij had nog twee moorden gepleegd. Maar eigenlijk weet ik niet of ik Rony dankbaar kan zijn. Door hem ligt Gilles in het ziekenhuis.

Wat hem betreft gaat alles goed komen. Toen we vertrokken was hij net bijgekomen en de artsen dachten niet dat hij blijvende schade had. Toch zullen we het moeten afwachten.

Verder was hij nog niet. Hij had zijn vriend zoveel te vertellen dat hij niet wist waar hij moest beginnen.

Tim nam een slok uit het glas cola voor zijn neus en keek weer uit over de lange winkelstraat. Hij had nog regelmatig nachtmerries van die avond in de kwekerij. Rechercheur Grindbudel was in alle staten geweest. Het had echt weinig gescheeld of het was heel anders afgelopen.

Hij pakte de pen weer op en ging verder.

Mijn moeder wilde graag een nieuw leven beginnen. Door de moord-aanslag op mijn vader is ze erg geschrokken. Helaas was het toen nog niet mogelijk om te vertrekken.

Rony is op vrije voeten. Ondanks dat hij Gilles heeft aangereden. Hij heeft alles overgenomen. De hele organisatie is in zijn handen. Al vraag ik me af hoe lang hij dat gaat volhouden.

We zullen niet voor altijd hier blijven. Mijn moeder is op zoek naar een huis op Curaçao, omdat ze daar Nederlands spreken en ik dan gewoon mijn school kan afmaken. Dat vindt ze erg belangrijk.

Misschien denk je dat ik het getroffen heb. Warm land, geen school en geen regenachtige dagen meer.

Ik kan je zeggen dat het tegenvalt. Ik zou er veel voor over hebben om weer een gewoon leven te hebben (al geloof ik niet dat ik dat ooit heb gehad). Het liefst zou ik teruggaan naar Amsterdam en samen met jou de school afmaken. Volgens mijn moeder moet ik dat uit mijn hoofd zetten. Er is teveel gebeurd in het verleden en dat wil ze het liefst zo snel mogelijk afsluiten.

Het viel niet mee om alles op te schrijven. Het was teveel voor één brief. Toch deed hij zijn best om Sam zo goed mogelijk van alles op de hoogte te stellen.

'Tim?' Zijn moeder kwam het balkon op. 'We moeten nu echt naar het restaurant, anders is het buffet al op.'

Tim knikte. 'Ik kom er aan, mam. Ga anders maar vast.'

Ze zuchtte en ging terug naar binnen. Tim wist dat ze er moei-te mee had om hem alleen te laten.

Ik moet opschieten, want we gaan zo eten. Het is hier namelijk half
zeven in de avond nu ik dit schrijf.
Wat ik nog wilde vragen: heb je ons werkstuk al terug? Ik ben erg
benieuwd naar het cijfer. Als je iets weet, kun je het naar mijn mail-
adres sturen. Die is nog steeds hetzelfde. Het wordt hoog tijd dat ik er
weer eens in kijk. Ik heb hier namelijk nog geen computer.
Zodra ik meer te vertellen heb – of als ik een computer heb – zal ik je
opnieuw een brief schrijven. Ik ga net zolang zeuren tot ik een laptop
krijg waarmee ik op internet kan.

Dag Sam, het gaat je goed,
Tim.

Hij voelde zich verdrietig. Amsterdam lag helemaal aan de
andere kant van de wereld. Sam was zo ver weg.
Hij vouwde de brief op en wilde hem in de enveloppe stoppen
toen hij zich iets bedacht. Snel vouwde hij de brief weer open
en zette zijn pen neer.

PS. Die vakantie in Duitsland. Je begrijpt vast dat die niet door kan
gaan. Ik heb het er met mijn moeder over gehad en zij heeft geopperd
dat jij en je familie snel eens langs moeten komen zodra we een eigen
dak boven ons hoofd hebben.

'Tim, schiet nu op!'
'Ik ben klaar, mam,' zei hij. Hij frunnikte de brief in een envelop. Het adres van Sam had hij er al twee weken geleden opge-
krabbeld.
Met de brief in zijn handen liep hij de motelkamer binnen. Zijn
moeder stond ongeduldig op hem te wachten.
Onderweg naar het restaurant zou hij de brief bij de receptie
afgeven. Met een beetje geluk kon hij vanavond nog naar de
post.

Naam: Theo-Henk Streng
Geboortedatum: 18 mei 1986
Geboorteplaats: Hagestein
Hobby: schrijven

Hoe lang heb je schrijven al als hobby?
Al toen ik klein was, schreef ik mijn eigen verhalen. Op de middelbare school kon ik veel energie kwijt in de schoolkrant en daarna heb ik vooral aan wedstrijden meegedaan. In 2005 won ik bij WriteNow! de eerste prijs.

Hoe ben je aan het idee voor De nalatenschap gekomen?
In 2004 schreef ik een verhaal over een jongen wiens vader op Sicilië werd vermoord. Hij ging op onderzoek uit en kwam er beetje bij beetje achter dat zijn familie er wel heel duistere praktijken op nahield. Dat verhaal heb ik een tijdje laten liggen, terwijl ik met een nieuw verhaal begon. Al snel ontdekte ik dat beide hoofdpersonen heel veel op elkaar leken en toen ben ik beide verhalen gaan combineren. Op die manier ontstond de eerste versie van *De nalatenschap*. Pas in 2007 heb ik het helemaal afgerond.

Was het moeilijk om De nalatenschap te schrijven?
In het begin vond ik het wel lastig, omdat er toch bepaalde zaken zijn die je moet weten. Maar daar lag wel de uitdaging en in de loop der jaren ben ik het nieuws goed blijven volgen en via allerlei bronnen meer over de Amsterdamse onderwereld te weten gekomen. Daardoor werd het steeds makkelijker om situaties voor te stellen en criminele activiteiten onder woorden te brengen. Op die manier ontdekte ik ook dat het verhaal zich niet persé op Sicilië hoefde af te spelen, omdat het in Nederland net zo goed op zijn plaats is.

Heb je zelf ook favoriete boeken of auteurs?
Absoluut. Ik heb heel veel auteurs die ik goed vind, maar vooral de boeken van Anthony Horowitz lees ik graag, omdat hij met veel humor kan vertellen en er altijd een aardige dosis criminaliteit in zijn boeken zit.
Verder wisselt het heel veel wat auteurs en boeken betreft. Ik lees graag, maar ik heb iets te weinig tijd!

Doe je nog iets naast het schrijven?
Ik zit in Utrecht op de Pabo, ik wil graag leraar worden. Mijn favoriete vakken zijn Nederlands, geschiedenis en aardrijkskunde. En verder alles wat met schrijven of taal te maken heeft!

Wil je meer weten over Theo-Henk of hem een andere vraag stellen? Kijk dan op www.uitgeverijholland.nl

Omslagontwerp: Ivar Hamelink
© Foto omslag: Corbis

© Uitgeversmaatschappij Holland - Haarlem, 2007

ISBN 978 90 251 1023 9